È PRONTO!

Art Director: Francesca Leoneschi
Progetto grafico: Laura Dal Maso / theWorld*of*DOT
Impaginazione: Paola Polastri
Fotografie © Benedetta Parodi
Fotografia di p. 8 © Pigi Cipelli

Prima edizione: settembre 2013

Per gli abiti si ringraziano:
Elisabetta Franchi, Alberto Bressan, One, Sinéquanone

www.benedettaparodi.it

BENEDETTA PARODI

È PRONTO!

Rizzoli

Alla mia super mamma,
bella, forte e coraggiosa

SOMMARIO

INTRODUZIONE

Cucinare è una questione di passione ma anche di tempo. Ci sono giorni in cui è tutto pianificato per organizzare un menu sontuoso e ci sono volte in cui in 10 minuti bisogna mettere insieme primo, secondo e dolce. L'importante è che, in tutti i casi, si riesca a portare a tavola cose buone che rendono felici chi le mangia.

Sfogliando le pagine di questo libro troverete le ricette giuste per ogni occasione: i piatti che si fanno in un quarto d'ora, quelli che si preparano in 30 minuti e quelli che richiedono una preparazione superiore alla mezz'ora. Scoprirete che si può offrire un dolce buonissimo realizzato in 10 minuti, che si può cucinare un menu intero in 15 e che passare un pomeriggio di lavoro in cucina regala grandissime soddisfazioni alla cuoca oltre che ai suoi ospiti.

Insomma, se mettersi ai fornelli è una piccola sfida che tutti noi dobbiamo affrontare quotidianamente, spero che questo libro possa essere lo strumento giusto per conquistare ogni volta una nuova vittoria.

Benedetta

ANTIPASTI

POLPETTINE DI MOZZARELLA

*Le polpette sono sempre buone. Il segreto è usare una parte di pane che le rende morbidissime
e delicate. Provate questa versione con la mozzarella, ideale da servire durante un aperitivo.*

Per 4 persone
- 150 g di mozzarella
- 150 g di mollica di pane
- 100 g di grana
- 3 uova
- rametti di maggiorana qb
- noce moscata qb
- farina qb
- olio di semi
- sale

Riunire nel mixer la mollica di pane spezzettata, la mozzarella
ridotta a tocchetti, le uova, una presa di sale, il grana grattugiato,
le foglie di maggiorana e un pizzico di noce moscata. Tritare gli
ingredienti fino a ottenere un composto omogeneo. Formare
delle polpettine tonde della grandezza di una noce, passarle
nella farina e poi scuoterle delicatamente per eliminare quella
in eccesso. Scaldare abbondante olio in una padella, friggere le
polpette finché non saranno dorate e croccanti. Quindi scolarle,
farle asciugare su carta assorbente e servirle ben calde.

TOMINI RIPIENI

*Adoro i tomini e vado pazza per il prosciutto affumicato di Praga. Metterli insieme è stato
un gioco da ragazzi! Questo è davvero un antipastino che si prepara in 10 minuti
e che può risolvervi la cena trasformandosi in un secondo per tutta la famiglia (ai miei
bambini il gusto un po' piccante della paprika piace molto). La cosa fondamentale – che sia
un antipasto o un secondo, con o senza paprika – è che venga servito immediatamente dopo
averlo sfornato in modo che sia ben caldo, cremoso e profumato. Ecco, mi è già venuta fame!*

Per 4 persone
- 4 tomini
- 4 fette di prosciutto
  di Praga
- gin qb
- paprika forte qb
- 4 rametti di timo

Tagliare a metà in senso orizzontale i tomini. Farcirli con le fette
di prosciutto di Praga, quindi richiuderli. Spennellare la superficie
di ogni tomino con un po' di gin, spolverizzarli con la paprika
forte e metterli sotto il grill del forno ben caldo, per 4-5 minuti,
o fino a che il formaggio non inizia a fondere. Servire subito con
un'insalata e completare con un rametto di timo.

TOMINI DORATI

Ogni tanto bisogna osare e non avere paura delle calorie! È l'atteggiamento giusto per affrontare questo antipastino croccante fuori e cremoso dentro. Il cuore morbido dei tomini viene aromatizzato con un goccio di olio tartufato. All'esterno la panatura è fatta coi grissini (ma se non li avete in casa, potete anche usare dei crackers) e quindi risulta ancora più saporita e fragrante. Una ricettina velocissima assolutamente da provare... non tutti i giorni però!

Per 4 persone
- 4 tomini
- 200 g di grissini
- 2 uova
- qualche goccia di olio di tartufo (facoltativo)
- semi di sesamo nero (se non lo trovate usate quello classico)
- olio di semi

Aprire il tomino a metà come un panino, aromatizzare il suo interno con 2 gocce di olio al tartufo (mi raccomando: non di più altrimenti si otterrà un gusto stucchevole e vagamente sintetico!). Richiudere e passare nelle uova sbattute, poi impanarlo nei grissini tritati e mescolati coi semi di sesamo nero. È importante fare una panatura spessa e omogenea in modo che durante la frittura il formaggio non coli fuori. Friggere il tomino nell'olio di semi, mettere a scolare su carta assorbente e servire.

INSALATINA DI SCAROLA

Questa insalatina leggera e croccante è perfetta come accompagnamento ai tomini sfiziosi delle due ricette precedenti. Se non vi va di accendere forno e fornelli, potete servirla semplicemente insieme a un bel tagliere di formaggi e salumi. Più semplice di così non si può!

Per 4 persone
- 1 cespo piccolo di scarola
- 1 pera
- 1 manciata di gherigli di noci
- glassa di aceto balsamico
- olio extravergine
- sale

Dividere la pera non sbucciata in 4 spicchi, eliminare il torsolo e poi ridurla a cubetti. Tagliare a strisioline la scarola e mescolarla alla pera in una ciotola, unire le noci tritate grossolanamente e condire il tutto con sale, olio e glassa di aceto balsamico.

COZZE FRITTE

Le cozze fritte sono un golosissimo aperitivo. Servitele nei coni di carta da fritto e accompagnatele con uno spumante italiano. Ma ricordatevi: le cozze fritte si mangiano velocemente come le ciliegie... e non hanno nemmeno il nocciolo. Dunque fatene davvero tante, altrimenti vi rimarrà la voglia!

Per 4 persone
- 500 g di cozze
- 1 mazzetto di prezzemolo
- 1 uovo
- farina qb
- pangrattato qb
- 1 spicchio d'aglio
- olio di semi
- olio extravergine
- sale e pepe

Far aprire le cozze in padella a fuoco vivace con un po' d'olio extravergine e l'aglio tenendo il coperchio ben chiuso. Togliere i molluschi dalle valve. Tritare finemente un po' di prezzemolo. Impanare le cozze passandole prima velocemente nella farina, poi nell'uovo sbattuto con un po' di pepe e il prezzemolo tritato (niente sale che può far cadere l'impanatura) e infine nel pangrattato. Consiglio di non procedere una cozza per volta ma di impanare i molluschi tutti insieme. Friggere le cozze panate in abbondante olio di semi caldo. Mettere a scolare su carta assorbente, spolverare con il sale e servire subito.

INSALATA DI ANGURIA E FETA

Lo ammetto, ho assaggiato questa insalata la scorsa estate con molti pregiudizi, pronta a stroncarla senza pietà perché mi faceva un po' impressione abbinare l'anguria a un formaggio... E invece ne sono rimasta folgorata. Non solo, è piaciuta tantissimo anche ai miei bambini! Quindi grazie al ristorante Sirena di Riccione. Io preferisco condirla col basilico piuttosto che con la menta, ma è questione di gusti. La cosa importante è prepararla all'ultimissimo momento e servirla subito, altrimenti l'anguria diventa acquosa e il piatto impresentabile.

Per 4 persone
- 200 g di feta
- 3 fette di anguria
- basilico o menta qb
- olio extravergine
- sale e pepe

Tagliare la feta e l'anguria a dadi della stessa grandezza e mescolarli insieme in una ciotola con olio, sale e pepe. Completare con foglie di basilico o di menta a seconda dei gusti e servire subitissimo!

CARPACCIO DI ZUCCHINE

Questa insalata arriva dal CanCarlos di Formentera! L'ha "esportata" mia sorella, grande amante di quell'isola meravigliosa. Si tratta di strati sottili di zucchine, pomodoro e formaggio. Da gustare preferibilmente guardando il mare.

Per 4 persone
- 2 zucchine
- 1 grosso pomodoro cuore di bue
- 1 manciata di pinoli
- 1 manciata di petali di raspadura (circa 50 g) o grana affettato molto sottile
- basilico qb
- olio extravergine
- sale e pepe

Affettare sottilmente le zucchine per il lungo (usando il pelapatate si fa in un attimo), grigliarle su una bistecchiera unta d'olio e salare. A parte tostare i pinoli. Tagliare il pomodoro a fette altrettanto sottili. Disporre le zucchine grigliate sul piatto di portata, coprire con il pomodoro, la raspadura, i pinoli e qualche foglia di basilico. Condire il tutto con olio, sale e pepe.

Se avete l'affettatrice, usatela per tagliare pomodori e zucchine a fette sottilissime.
Il piatto sarà ancora più buono e raffinato.

CHIPS AL SALMONE

*Un piccolo antipasto d'effetto, oppure un piatto unico agile e veloce. Queste patatine-chips
al salmone si possono servire in diverse occasioni, ma sono sempre buonissime e super veloci.*

Per 2 persone
- 1 patata
- 100 g di salmone
  affumicato
- 100 g di robiola
- 100 ml di yogurt greco
- aneto fresco qb
- pepe rosa qb
- olio extravergine
- sale

Tagliare la patata a fette sottili e condire con un filo d'olio e sale.
Mettere in una teglia foderata con carta da forno e cuocere in
forno ventilato a 180° per circa 10 minuti o fino a che le patate
non risulteranno dorate. Preparare la crema mescolando yogurt e
robiola. Disporre su ogni piatto 3-4 fettine di patate leggermente
sovrapposte in forma circolare, coprire con qualche cucchiaiata di
crema e completare con 2 fettine di salmone affumicato. Guarnire
con grani di pepe rosa e un po' di aneto fresco.

GAMBERI ALLA CREOLA

La panatura croccante fatta con la farina di cocco è da provare: davvero originale e gustosissima. State sicuri che con questi gamberi creoli stupirete tutti!

Per 4 persone
- 16 code di gambero
- 220 g di farina
- 1 cucchiaino di lievito
- 1 uovo
- 100 ml d'acqua frizzante
- 1 cucchiaino di paprika
- farina di cocco qb
- olio di semi
- sale e pepe

Preparare una pastella con 120 g di farina, il lievito, una presa di sale, l'uovo e l'acqua, miscelando bene per ottenere una crema densa e senza grumi. In un piatto, mescolare la farina rimasta con una presa di sale, la paprika e il pepe. In un secondo piatto, versare la farina di cocco. Sgusciare le code di gambero lasciandole intatte, passarle nella farina, poi nella pastella e infine nella farina di cocco. Friggere in olio bollente, scolare, fare asciugare su carta assorbente e servire.

COZZE E FAGIOLI IN ROSSO

*Ho mangiato questo delizioso antipasto una sera al Sirena di Riccione seduta in riva al mare,
con un bel bicchiere di vino bianco mentre i bambini giocavano e si rincorrevano sulla spiaggia.
Una scena degna di un film. Allora mi parve un piatto divino, ma pensai che forse era merito
dell'atmosfera... Dunque l'ho cucinato e riassaggiato a Milano nella mia cucina, senza mare
e coi bambini capricciosi tra i piedi... l'ho trovato altrettanto squisito.*

Per 4 persone
• 1 kg di cozze
• 10 code di gambero
• 1 lattina di fagioli borlotti
• 3 cucchiai di polpa
  di pomodoro
• 2 spicchi d'aglio
• peperoncino qb
• prezzemolo qb
• olio extravergine
• sale

Far schiudere le cozze in una padella con l'olio e l'aglio. Una
volta che i gusci sono aperti scartarne una parte, rimettendo
i molluschi in padella, e unire la polpa di pomodoro, i fagioli
scolati, il peperoncino e il sale. Riportare sul fuoco e lasciare
insaporire tutti gli ingredienti per qualche minuto a fiamma viva.
Quando il sugo è ben ristretto unire le code di gambero sgusciate
e lasciare cuocere un altro minuto. Aggiungere del prezzemolo
tritato e servire.

Se volete rendere il piatto più facile da mangiare, prima di servirlo togliete tutti i gusci alle cozze.

CASTAGNE CARAMELLATE AL LARDO

Quando preparo questo aperitivo durante le fredde serate invernali mi brucio sempre un po' le dita! La cosa più difficile, infatti, è avvolgere le castagne caramellate mentre sono ancora calde in modo che il lardo si sciolga un po'. L'operazione è dolorosa... ma l'effetto è garantito!

Per 4 persone
- 16 castagne precotte
- 4 fette di polenta precotta (circa 100 g)
- 100 g di lardo affettato
- 1 cucchiaio di zucchero di canna
- 1 cucchiaio di miele di castagno
- olio extravergine
- burro chiarificato qb
- rosmarino qb

In una padella antiaderente sciogliere una noce di burro, unire lo zucchero di canna e il miele. Appena la preparazione comincia a caramellare aggiungere le castagne. Cuocerle per qualche minuto girandole con delicatezza affinché non si rompano. Nel frattempo tagliare in 4 le fette di polenta e sistemare i quadratini su una teglia foderata di carta da forno, ungerli con dell'olio extravergine e cospargerli con un trito di rosmarino. Trasferire in forno già caldo a 250° per pochi minuti, fino a che non comincino ad abbrustolire. Avvolgere ogni castagna caramellata ancora calda in una fetta di lardo, quindi adagiarla sul quadratino di polenta croccante e servire subito.

GAMBERI SAGANAKI

Ho imparato ad amare la feta grazie a Paolo Quilici che ne è un vero patito! Prima la utilizzavo solo per la classica insalata greca con pomodori, cetrioli e olive nere, poi ho scoperto che si può usare in molte altre preparazioni, anche nell'impasto del pane, oppure farla sciogliere in padella insieme al sugo ottenendo una cremina leggermente acidula che rende la ricetta un po' speciale. Questo piatto in particolare è molto fresco e veloce. Si chiama saganaki perché in Grecia si cucina in una pentola che porta questo nome.

Per 4 persone
- 12 gamberi decongelati
- 200 g di feta
- 1 lattina di polpa di pomodoro
- 1 cipolla
- 2 cucchiaiate di olive taggiasche denocciolate
- basilico qb
- olio extravergine
- sale e pepe

Preparare il sugo insaporendo in padella la cipolla tagliata a rondelle con l'olio, poi unire la polpa di pomodoro, il sale, il basilico e le olive. Lasciare restringere per circa 5-10 minuti. Tagliare la feta a dadini, sgusciare i gamberi e unire il tutto al sugo. Cuocere ancora per pochissimi minuti e completare con un po' di pepe.

INSALATA DI LENTICCHIE

Siamo abituati a vedere le lenticchie sempre accanto al cotechino in un contesto invernale. Invece questo legume delizioso può abbinarsi molto bene a una fresca insalata estiva e si sposa divinamente con il sapore agrodolce.

Per 4 persone
- 250 g di lenticchie in scatola
- 1 cespo di sedano
- 100 g di spinaci novelli
- nocciole qb
- 2 cucchiai di zucchero
- 3 spicchi d'aglio
- 30 ml circa di aceto di vino bianco
- olio extravergine
- sale

Tagliare il sedano a dadini e soffriggerlo in padella con l'olio e l'aglio. Aggiungere le lenticchie scolate, lo zucchero e sfumare con l'aceto, quindi aggiustare di sale e lasciare insaporire per qualche minuto. Assaggiare per stabilire se il gusto dell'agrodolce è equilibrato o se deve essere corretto con altro zucchero o aceto, spegnere il fuoco e lasciare intiepidire leggermente. Nel frattempo, tostare le nocciole e tritarle grossolanamente. In un piatto piano formare un letto di spinaci novelli, condirli con olio e sale, mettere al centro le lenticchie e completare con le nocciole.

Questo è un piatto furbissimo da cucinare in estate se vi sono avanzate buste di lenticchie secche da Natale! Basterà prima di tutto farle lessare e poi procedere con la ricetta.

PIZZETTE FANTASMINO

Halloween a casa nostra vuol dire pigiama party. E dal momento che questa festa americana coincide con il compleanno di Eleonora, ogni anno organizzo un party spaventoso a base di piattini all'insegna dell'horror con successiva spedizione in cerca di caramelle. Le pizzette fantasmino, in cui il formaggio prende la forma del lenzuolo dello spettro, non possono mancare...

Per 4 pizzette
- 1 rotolo di pasta per pizza
- 250 g di passata di pomodoro
- 4 fette di provolone
- 2 olive verdi denocciolate
- olio extravergine
- sale

Ritagliare la pasta per pizza in modo da ottenere circa 4 pizzette rotonde, sistemarle sulla teglia foderata di carta da forno e condire con la passata di pomodoro, il sale e un filo d'olio. Infornare a 200° ventilato e cuocere per circa 5-7 minuti. Intanto, con un coltello affilato, ricavare dalle fette di provolone la sagoma dei fantasmini. Estrarre le pizzette dal forno e appoggiarci sopra le fette di formaggio. Rimettere in forno ancora per 2 minuti circa in modo che il formaggio si sciolga leggermente ma non perda la forma del fantasmino e la pizza arrivi a cottura. Decorare infine con 2 fettine di olive verdi a mo' di occhi!

POMODORI RIPIENI

È un piatto ideale da servire d'estate, sia perché è leggero e fresco sia perché in questa stagione si trovano i pomodori e cipollotti più dolci e gustosi.

Per 4 pomodori
- 4 pomodori
- 200 g di tonno sott'olio
- 1 cipollotto rosso
- 2 cucchiai di olive taggiasche denocciolate
- 1 cucchiaio di capperi
- timo qb
- olio extravergine

Tagliare la parte superiore dei pomodori e tenerla come coperchio, quindi svuotarli. Affettare il cipollotto e unirlo al tonno sminuzzato, insieme ai capperi e alle olive. Mescolare bene, poi riempire i pomodori con questo composto. Decorare ogni mezzo pomodoro con qualche fogliolina di timo e condire con un filo d'olio.

> > > > > > > > > **15 min**

MOUSSE DI SALMONE

Questa mousse velocissima si può servire sulle tartine ma non solo: si può spalmare nei tramezzini, secondo una tradizione molto inglese con pomodori o cetrioli, oppure si può semplicemente portare in tavola in una coppetta accompagnandola a crostini di pane nero.

Per 4 persone
- 150 g di salmone affumicato
- 150 ml di panna fresca
- 2 cucchiai di vodka
- pane di segale qb
- scorza di ½ limone non trattato
- aneto qb
- pepe bianco qb

Per guarnire
- scorza di limone a filetti
- qualche fettina di salmone affumicato
- aneto qb
- pepe rosa qb

Frullare il salmone con la vodka, la scorza di limone, un pizzico di pepe bianco e poco aneto. Montare a neve la panna e unirla con delicatezza alla crema di salmone. Conservare la mousse in frigorifero in un recipiente coperto. Al momento di servire, guarnire con fettine di salmone, scorzetta di limone a filetti, aneto e grani di pepe rosa. Accompagnare con fette di pane di segale tostato.

Se non amate il salmone potete sostituirlo con il tonno o lo spada affumicato. La ricetta verrà buonissima anche se... con il salmone per me resta irraggiungibile!

SPIEDINI PICCANTI

Quando si tratta di molluschi e crostacei, non c'è bisogno dell'uovo per ottenere un'ottima panatura croccante. Qui il segreto è mescolare il sesamo al pangrattato e per la salsa piccante... abbondate pure con il Tabasco!

Per 4 spiedini
- 8 capesante
- 8 gamberoni
- 6 cucchiai di pangrattato
- 2 cucchiai di semi di sesamo
- olio extravergine

Per la salsa
- 125 g di maionese
- Tabasco qb
- 1 ciuffo di prezzemolo
- succo di ¹/₂ limone

Staccare le capesante dalle valve, sgusciare i gamberoni, quindi formare gli spiedini alternando un crostaceo e un mollusco. Mescolare in una ciotola il pangrattato e i semi di sesamo, impanare gli spiedini e cuocerli sulla griglia unta d'olio. Per la salsa, tritare il prezzemolo e aggiungerlo alla maionese mescolata con qualche goccia di Tabasco e il succo di limone. Servire gli spiedini con la salsa piccante.

SPIEDINI DI SCAMORZA FRITTI

Questo sfiziosissimo antipastino fritto non potrà certo salvarvi la cena, ma mentre i commensali se lo gusteranno, voi avrete il tempo di preparare un'ottima spaghettata dell'ultimo minuto.

Per 4 persone
- 250 g di scamorza affumicata
- 12 olive taggiasche o verdi denocciolate
- 200 g di farina
- ¹/₂ bustina di lievito istantaneo per torte salate
- olio di semi
- sale

Preparare gli spiedini infilzando su ciascuno stecco 2 dadi di scamorza alternati con 3 olive denocciolate. Mescolare in una ciotola la farina con il lievito, un pizzico di sale e l'acqua necessaria per ottenere una pastella abbastanza densa che si attacchi bene agli spiedini. Ripassare gli spiedini nella pastella, poi tuffarli nell'olio bollente e friggerli finché non saranno un po' gonfi e dorati. Scolarli, farli asciugare su carta assorbente e servirli.

GAMBERONI ALL'ARANCIA

Con questo antipasto si gioca davvero d'astuzia. Il risultato, infatti, è quello di un piatto di alta cucina, ma per realizzarlo si utilizza semplicemente un vasetto di maionese pronta e la scorza d'arancia!

Per 4 persone
- 12 gamberoni
- 200 g di maionese
- 3-4 cucchiai di zucchero
- scorza di 1 arancia
  non trattata
- succo di $1/2$ arancia

Tagliare la scorza dall'arancia evitando la parte bianca perché è amara. Farla a striscioline piccole e sbollentarle nell'acqua per qualche minuto. Scolare e nella stessa acqua lessare anche i gamberoni per un minuto. In una casseruola unire lo zucchero con 2 cucchiai d'acqua e le scorzette sbollentate e fare caramellare sul fuoco. Preparare la salsa mescolando la maionese con il caramello all'arancia e il succo. Servire i gamberoni con la salsa.

Per una salsa ancora più leggera, mescolate una parte di maionese con una parte di yogurt bianco.

INVOLTINI MARE E MONTI

L'idea del mare e monti mi fa venire in mente quelle pizzerie anni '80 che mescolavano funghi, panna e pesce. Ma non fatevi ingannare: questi involtini sono invece molto raffinati e leggeri. Si tratta di avvolgere in una tenerissima fetta di vitello un asparago e un bel gambero polposo. La ricetta me l'ha data lo chef Lorenzo Boni. Ho voluto mantenere comunque il nome "mare e monti" per dare al piatto quell'aria un po' vintage che va tanto di moda!

Per 4 persone
- 4 code di gambero
- 4 asparagi
- 4 fettine di vitello
- 2 cucchiai di farina
- 1 bicchiere di vino bianco
- olio extravergine
- sale e pepe

Pulire i gamberi e praticare dei taglietti lungo il dorso in modo che non si arriccino. Sbollentare gli asparagi in acqua salata per pochi minuti perché devono rimanere croccanti. Arrotolare in ciascuna fettina di carne un asparago e una coda di gambero, infilzare gli involtini così ottenuti in uno stuzzicadenti, quindi infarinarli e rosolarli in padella con l'olio. Salare, pepare, sfumare con il vino e portare a cottura, aggiungendo eventualmente un po' d'acqua se il sughetto si asciugasse troppo.

INSALATA DI PATATE

Con una bella insalata di patate di accompagnamento anche un pollo bollito assume tutta un'altra dignità! Qui nella foto, l'ho servita accanto alle costine impanate... Potete farlo anche voi se volete un secondo piatto, altrimenti presentatela in ciotoline monoporzione per un antipasto molto chic!

Per 4 persone
- 2 patate lesse
- 1 mela verde
- 1 gambo di sedano
- 2-3 cucchiai di maionese
- 60 g di gherigli di noci
- prezzemolo qb
- succo di $\frac{1}{2}$ limone
- sale

Sbucciare le patate e la mela e tagliare tutto a tocchetti. Tritare al coltello il prezzemolo, affettare il sedano e tritare grossolanamente le noci. Mescolare le patate con la mela, il sedano e le noci, completare con il succo di limone, la maionese e il prezzemolo e salare se serve.

TRAMEZZINO CON MOUSSE DI MORTADELLA E CARCIOFINI

A casa giochiamo spesso alla gara di panini. I bambini adorano questa sfida e devo dire che ormai sono diventati degli avversari davvero temibili... con questo tramezzino, però, mi sono guadagnata facilmente il gradino più alto del podio!

Per 8 tramezzini
- 200 g di mortadella
- 100 g di ricotta
- 50 g di grana
- 8 fette di pancarrè
- carciofini sott'olio

Tritare la mortadella nel mixer con la ricotta e il grana. Spalmare abbondantemente la crema ottenuta sul pane, completare con i carciofini sott'olio scolati e tagliati a metà, richiudere i tramezzini e poi tagliarli a metà.

Questo paté di mortadella si può anche servire direttamente in una ciotola con una spolverizzata di pistacchi tritati sopra e dei crostini caldi accanto. Sarà un ottimo aperitivo.

CASSONI

I cassoni sono una specialità romagnola molto golosa: prendete l'impasto della piada, farcitelo con quello che più vi piace, richiudetelo come un panzerotto e cuocetelo in padella in modo che tutti i sapori contenuti all'interno si mescolino deliziosamente, il formaggio si fonda, mentre la piadina diventi leggermente croccante! Ecco uno dei mille motivi per cui vado in vacanza a Riccione.

Per 2-3 cassoni
- 250 g di farina + qb per stendere
- 50 g di erbette, biete o spinaci
- 100 g di stracchino
- 25 g di strutto
- olio extravergine
- sale e pepe

Tritare finemente le erbette crude (anche nel mixer se non avete voglia di farlo a mano) e condirle con olio extravergine, sale e pepe. Per la piadina, impastare la farina con lo strutto sciolto nel microonde o in un pentolino sul fuoco, un cucchiaino di sale e tanta acqua quanta ne serve per formare un panetto liscio e morbido. Infarinare leggermente la spianatoia e stendere l'impasto col mattarello formando dei tondi simili per grandezza e spessore a delle piadine. Farcirli a metà con erbette e pezzi di stracchino e poi richiuderli a mezzaluna sigillando i bordi con i rebbi di una forchetta in modo che non si aprano. Cuocere i cassoni a fuoco basso in una padella antiaderente o meglio ancora di ghisa.

INSALATA DEL CONTADINO

Questa è una superinsalata che si mangia molto volentieri anche d'inverno perché c'è sia la patata sia la pancetta... magari non sarà molto leggera, ma vi assicuro che è saporitissima.

Per 4 persone
- 200 g di pancetta affumicata a dadini
- 600 g di patate
- 80 g di spinaci novelli
- olio extravergine
- aceto balsamico
- sale e pepe

Lessare le patate intere e, quando sono morbide, sbucciarle e tagliarle a tocchetti. Rosolare la pancetta in padella senza aggiungere altri ingredienti, poi mescolarla con le patate ancora calde e le foglie di spinaci. Condire con sale, pepe, olio e aceto balsamico.

POLPETTE DI PISELLI ALLE DUE SALSE

Anziché fare sempre le solite polpette usando la carne, ogni tanto provate a sostituirla con i legumi. Si possono usare i fagioli, le lenticchie, ma i preferiti dei bambini sono sicuramente i piselli perché sono dolci e teneri. Con queste due salse, poi, potrete giocare con i sapori e conquistare anche gli adulti... preparando un antipasto irresistibile.

Per 4 persone
- 200 g di piselli sgranati
- brodo granulare
- 50 g di mollica di pane
- 2 uova
- 30 g di grana
- pangrattato qb
- rosmarino qb
- latte qb
- olio di semi e sale

Per la salsa bianca
- 250 g di burrata
- 4-5 acciughe sott'olio
- 50 ml di latte
- 50 ml di panna fresca

Per la salsa rossa
- 1 lattina di polpa
  di pomodoro
- 1 spicchio d'aglio
- olio extravergine
- sale

Lessare i piselli in acqua con un cucchiaino di brodo granulare e sale. Scolarli e frullarli nel mixer insieme alla mollica di pane, un uovo, il grana, sale e rosmarino tritato. Se il composto è troppo molle aggiungere altro pane o pangrattato, se invece è troppo duro unire un po' di latte. Formare delle polpettine, passarle nell'altro uovo sbattuto, poi nel pangrattato e infine friggerle in padella. Per la salsa bianca, frullare la burrata con i filetti di acciuga e il latte. Montare la panna a neve non troppo ferma e amalgamarla al resto degli ingredienti (se avete fretta potete fare anche a meno della panna). Per la salsa rossa, insaporire in padella l'aglio con l'olio, unire la polpa di pomodoro e il sale e lasciare cuocere per 15 minuti. Servire le polpette, alcune con la salsa alla burrata, altre con il sugo di pomodoro.

ROSE DI ZUCCHINE AROMATICHE

Questo è un antipastino molto scenografico e leggero che non vi farà perdere più di 20 minuti. L'operazione più complicata è tagliare le zucchine a fette sottili. Quando non ho voglia di impegnarmi, compro quelle già affettate e grigliate così non mi resta che comporre il fiore!

Per 4 persone
- 2 zucchine
- 1 manciata di pomodori
  secchi
- 50 ml di vino bianco
- 50 ml d'acqua
- 2 fette di pancarrè
- raspadura qb
- maggiorana, timo
  e prezzemolo qb
- olio extravergine
- sale

Con un pelapatate o un coltello ben affilato, tagliare le zucchine a strisce sottili e sbollentarle in acqua salata per pochi minuti. Cuocere i pomodori secchi in acqua e vino, con qualche fogliolina di maggiorana, timo e prezzemolo (se si usano i pomodori secchi sott'olio non cuocerli e comporre direttamente le roselline), poi tritarli grossolanamente con il coltello. Tritare il pane con altre erbe aromatiche. Stendere una striscia di zucchina, farcirla con un po' di raspadura e di pomodori e arrotolare formando delle piccole rose. Sistemarle su una teglia foderata di carta da forno, distribuirvi sopra il crumble e un filo d'olio e gratinare per un paio di minuti sotto il grill ben caldo.

CARAMELLE DI POLENTA

In Piemonte la polenta con il formaggio si chiama "polenta concia". È un piatto molto goloso della tradizione ma è anche un po' "prepotente", nel senso che quando viene servito lascia poco spazio nello stomaco per qualsiasi altra cosa. L'idea delle caramelle di polenta, piccole palline ripiene di formaggio e condite con il burro, permette invece di godere del delizioso abbinamento senza però esagerare nelle quantità.
P.S. Potete farcire le vostre caramelle con il formaggio che preferite. Io per esempio amo molto il gorgonzola. Grazie a Rosanna Antonello, mamma di un grande chef, per la ricetta!

Per 4 persone
- 250 g di farina
  per polenta istantanea
- 200 g di fontina
- salvia qb
- burro qb
- olio extravergine
- sale e pepe

Preparare la polenta con l'acqua e la farina secondo le dosi indicate dalla confezione unendo una presa di sale. Una volta pronta, stenderla sulla leccarda del forno foderata di carta da forno e lasciarla intiepidire ma non raffreddare completamente. Con le mani bagnate raccogliere un po' di polenta alla volta, formare degli arancini e farcirli con un pezzo di formaggio. Sciogliere un po' di burro e olio con qualche foglia di salvia e spennellare gli arancini di polenta. Completare con un pizzico di pepe, quindi avvolgerli nella stagnola, come fossero caramelle. Infornare a 180° per 10 minuti e servire le caramelle leggermente aperte con una macinata di pepe.

INSALATA CHELSEA

Questa insalata arriva da Chelsea, quartiere chic di Londra. Purtroppo non sono stata io la fortunata che l'ha gustata seduta a un elegante tavolino di un ristorante all'aperto, ma mio marito Fabio durante le Olimpiadi del 2012. Tornato a casa, insieme a tanti regalini per me e i bimbi, ha portato anche molte ricette golose come questa!

Per 4 persone
- 200 g di farro perlato
- 200 g di fagiolini
- 400 g di tonno fresco
- 6 pomodori secchi
- 12 pomodorini
- olive taggiasche
  denocciolate qb
- basilico qb
- olio extravergine
- sale

In una stessa pentola, lessare in acqua salata il farro e i fagiolini ridotti a pezzetti piccoli. Tagliare a dadini il tonno e scottarlo a fuoco alto in una padella appena unta d'olio per 2 minuti. All'esterno deve risultare ben abbrustolito e all'interno ancora crudo. Una volta pronti farro e fagiolini, scolarli e mescolarli con il tonno, le olive, i pomodori secchi tritati grossolanamente al coltello e i pomodorini freschi tagliati a metà. Condire l'insalata con olio e sale, unire qualche foglia di basilico e servire.

MINI PARMIGIANE DI ZUCCHINE

La parmigiana è buona sempre: con le melanzane, con le zucchine, con i peperoni. Per ogni verdura, però, ci vuole qualche accortezza particolare in modo da poter proporre sempre un piatto equilibrato. Qui si tratta di mini parmigiane, piccole cocotte che racchiudono il gusto fresco delle verdure alternate a un filante strato di formaggio.

Per 4 persone
- 3 zucchine
  (per un totale di 500 g)
- 3 pomodori
- 130 g di scamorza bianca
- 6 filetti di acciuga
  sott'olio
- origano qb
- olio extravergine
- sale

Tagliare le zucchine a rondelle oblique, condirle con olio, mescolandole in modo che si ungano uniformemente, e arrostirle in una padella antiaderente ben calda, senza grassi. Ricavare dai pomodori 12 fette dello spessore di 1 cm. Foderare una teglia con carta da forno, ungerla di olio, posarvi le rondelle di pomodoro, condirle con olio, sale e origano e infornarle a 280° per 3-4 minuti. Affettare la scamorza a fettine sottilissime. Riempire 4 piccole pirofile alternando in ciascuna pomodoro, rondelle di zucchina, scamorza e pezzettini di acciuga. Ripetere la sequenza altre 2 volte e chiudere con la scamorza e i pezzetti di acciuga. Infornare a 200° per pochi minuti, giusto il tempo che la scamorza si sciolga.

**Se in casa non avete delle ciotoline
che possono andare in forno,
utilizzate quelle di alluminio usa e getta.**

PANINI AL LATTICELLO

Il latticello è un sottoprodotto della panna dal sapore leggermente acidulo, molto comune sia nei Paesi del Nord, dall'Inghilterra alla Scandinavia, sia in Pakistan e in Afghanistan. Per ottenerlo in maniera molto veloce basta mescolare nelle giuste proporzioni latte e yogurt. Con questo latticello si possono impastare degli ottimi panini, da farcire con la marmellata o con i salumi. In America si servono il giorno del Ringraziamento con il mitico tacchino ripieno.

Per 4 persone
- 260 g di farina
  + qb per stendere
- 100 ml di latte
- 100 ml di yogurt bianco
- 50 g di burro
- 25 g di zucchero
- 1 bustina di lievito
  per dolci
- $^1/_2$ cucchiaino
  di bicarbonato di sodio
- sale

Mescolare la farina, il lievito, il bicarbonato di sodio, lo zucchero e il sale. A parte unire il burro sciolto con il latte, lo yogurt e una presa di sale. Incorporare il latticello così ottenuto nella farina preparata e lavorare fino a formare una palla. Mettere l'impasto su un piano di lavoro infarinato e stenderlo delicatamente con il mattarello per ottenere un disco spesso circa 2,5 cm. Infarinare il bordo di un bicchiere o di un tagliabiscotti e formare dei dischi. Sistemarli su una teglia foderata di carta da forno e cuocerli a 250° per 5 minuti, poi abbassare a 230° e proseguire la cottura per altri 5.

SUSHI ALL'ITALIANA

Questa è una trovata spiritosa, ma anche golosa, per fare il verso alla moda imperante del sushi giapponese. A seconda della farcitura che sceglierete, potete preparare anche una merenda per i bambini più piccoli: provate a sostituire il formaggio con la Nutella e i semi di papavero con i corn flakes tritati.

Per 4-6 persone
- 200 g di formaggio
  spalmabile
- 2 fette di pane per
  tramezzini rettangolare
- 1 mazzetto di rucola
- 150 g di salmone
  affumicato
- 1 mazzetto di erba
  cipollina
- 1 mazzetto di aneto
- semi di papavero qb

Tritare finemente l'aneto e l'erba cipollina, mescolarli con il formaggio in modo da ottenere una crema. Appiattire le fette di pane con il mattarello per renderle sottili, spalmare ogni singola fetta con la crema di formaggio e farcire con foglie di rucola e fettine di salmone. La farcitura non deve essere tanto spessa altrimenti si farà fatica a chiudere il sushi. Arrotolare le fette di pane il più stretto possibile e avvolgere i rotoli ottenuti con la pellicola per alimenti. Se c'è tempo, ma non è essenziale, metterli in frigo per circa un'ora poi togliere la pellicola e tagliarli a fette spesse 1 cm circa. Spalmare la superficie esterna dei rotolini con un po' di formaggio, quindi ripassarli nei semi di papavero.

FLAN DI GRANA

Questi piccoli flan di grana sono davvero golosi, soffici e irresistibili. Hanno la particolarità di essere cotti dentro una semplice pentola piena d'acqua in cui si sistema il cestello per la cottura a vapore e poi un coperchio. Io li servo direttamente nella loro cocotte con sopra una cucchiaiata di funghi trifolati.

Per 6-8 persone
- 80 g di grana
- 200 ml di latte
- 4 porcini
- 3 tuorli
- 2 albumi
- 20 g di burro + qb
  per gli stampini
- 20 g di farina
- vino bianco qb
- 1 spicchio d'aglio
- 1 foglia di alloro
- prezzemolo qb
- olio extravergine
- sale e pepe

Fondere il burro in una casseruola, unire la farina, la foglia di alloro e il latte freddo, mescolando fino a che la besciamella non si sarà addensata. Lasciare intiepidire, quindi salare, pepare, togliere l'alloro, incorporare il grana grattugiato, i tuorli e gli albumi montati a neve ben ferma. Imburrare circa 6-8 stampini e versare il composto. Inserire le cocotte all'interno di una pentola per la cottura a vapore e cuocere per 10-12 minuti. In alternativa, si può farlo in forno statico a 180° per 15-20 minuti. Nel frattempo affettare i porcini, soffriggerli in padella con un filo d'olio, aglio, sale e poi sfumarli col vino e aggiungere il prezzemolo tritato. Servire il flan con una cucchiaiata di funghi.

VOL-AU-VENT CON FONDUTA

Quante volte mi è impazzita la fonduta... non riesco nemmeno più a contarle. È una preparazione che adoro ma che mi fa davvero disperare. A insegnarmi la soluzione ci ha pensato Alba Parietti – ebbene sì, non uno chef stellato – che aggiunge qualche cucchiaio di farina per stabilizzarne la cottura ed evitare scherzi... che donna!
P.S. Se vi avanza un po' di fonduta, provate a condirci il riso bollito e completate con il grana. È uno dei miei piatti preferiti in assoluto.

Per 4 persone
- 400 g di fontina dolce
- latte qb
- 40-50 g di burro
- 40 g di farina
- 4 tuorli

Per i vol-au-vent
- 1 rotolo di pasta sfoglia
- 1 tuorlo

Tagliare la fontina a cubetti e lasciarla a bagno nel latte per almeno 6 ore (meglio se una notte) in modo che il liquido ricopra completamente il formaggio. In una padellina sciogliere il burro, unire la farina e fare tostare per un minuto circa, quindi versare il formaggio con il latte. Mescolare sempre a fuoco basso finché la fontina non si è perfettamente sciolta, poi togliere dal fuoco e aggiungere i tuorli continuando a mescolare. Riportare sulla fiamma e cuocere ancora per 3-4 minuti fino a quando la fonduta non si addensa. Per i vol-au-vent, ricavare dalla pasta sfoglia dei dischi, disporne la metà su una teglia foderata di carta da forno e ritagliare al centro l'altra metà con il tappo di una bottiglia. Disporre questi ultimi sui primi dopo averli spennellati con il tuorlo e bucherellati con la forchetta. Farli cuocere per 10 minuti nel forno ventilato a 200°, quindi riempirli di fonduta e servire.

BUREK CROCCANTI DI FORMAGGIO

Quando s'invitano amici a cena è importante iniziare con un aperitivo sfizioso. Il fritto è sempre molto gradito, ma ha l'inconveniente di costringere la padrona di casa ai fornelli fino all'ultimo secondo e poi l'odore della frittura che impregna i vestiti degli ospiti non è il massimo! Provate allora con i burek che si cuociono in forno ma sono croccanti come una frittura. La loro origine è molto antica. Risalgono addirittura all'epoca dell'impero Ottomano e ancora oggi sono molto diffusi in tutti i Balcani.

Per 4 persone
- 1 rotolo di pasta fillo o di pasta sfoglia
- 120 g di feta
- 100 g di ricotta
- 30 g di caciocavallo
- 1 uovo
- 1 tuorlo
- semi di sesamo qb
- burro qb
- sale e pepe

Con una forchetta mescolare la feta sbriciolata con il caciocavallo grattugiato, la ricotta, l'uovo, un pizzico di sale e di pepe fino ad amalgamare bene il tutto. Stendere la pasta fillo, spennellarla con un po' di burro sciolto in modo che non si secchi, dividerla in quadrati, quindi farcire ognuno con una cucchiaiata di impasto. Ripiegare la pasta formando dei triangoli. In alternativa, usare la pasta sfoglia al posto della fillo e farcirla senza servirsi del burro. Spennellare i burek con il tuorlo d'uovo, distribuirvi sopra i semi di sesamo e infornare a 180° per circa 30 minuti.

Provate anche una versione più mediterranea con pomodoro e mozzarella.

CARPACCIO CROCCANTE
CON GAZPACHO AI LAMPONI

Antipasto da ristorante di lusso, ma a tempo di record. Questa idea viene dallo chef Lorenzo Boni: si tratta di farcire le fette di carpaccio, arrotolarle intorno a uno stecchino, impanarle e friggerle. Il gazpacho, poi, dà un tocco estivo e colorato davvero azzeccato.

Per 4 persone
Per il gazpacho
- 1 pomodoro
- 60 g di lamponi
- 20 g di mandorle pelate
- 1 peperone grigliato
- 1 fetta di pane raffermo
- 2 cubetti di ghiaccio
- peperoncino qb
- 1 cucchiaio di aceto di mele
- olio extravergine
- sale e pepe

Per il carpaccio
- 4 fette di carpaccio di manzo
- 3 uova
- 4 cucchiaini di formaggio spalmabile
- 100 g di corn flakes
- timo e rosmarino qb
- paprika qb
- farina qb
- olio di semi, sale e pepe

Per il gazpacho, frullare insieme il pomodoro, il peperone, le mandorle, i lamponi, il pane raffermo, una presa di sale e pepe, il peperoncino, l'aceto di mele, 2-3 cucchiai di olio e i cubetti di ghiaccio... ed è già pronto! Salare, pepare e spolverizzare con la paprika le fettine di carpaccio. Mescolare il formaggio con timo e rosmarino tritati, spalmare un po' di farcia su ogni fettina di carpaccio (ma poca, mi raccomando!) poi avvolgere la carne attorno a uno stecco di legno, creando una sorta di involtino. Infarinare leggermente, passare nelle uova sbattute e impanare con i corn flakes tritati. Infine friggere gli involtini nell'olio di semi ben caldo, lasciando la parte di legno fuori dall'olio. Versare il gazpacho in bicchierini e disporli su un piatto da portata, accompagnandoli con i bastoncini di carne.

CIPOLLE RIPIENE

Le verdure ripiene sono sempre una bella idea per l'antipasto. La ricetta piemontese con la quale sono cresciuta prevede di usare prosciutto, uovo e grana frullati insieme, ma le possibilità di farcire zucchine, peperoni e cipolle sono davvero infinite.

Per 4 persone
- 4 cipolle
- 4 fette di pancarrè
- 150 g di crescenza
- grana qb
- 3 spicchi d'aglio
- 2 foglie d'alloro
- olio extravergine

Ripassare il pancarrè in padella con un po' d'olio, l'aglio e l'alloro, poi privarlo della crosta mettendola da parte. Lessare le cipolle senza che si disfino, tagliarle in 2, svuotarle lasciando solo la coppetta più grande, quindi tritare l'interno e mescolarlo con la crescenza e il grana grattugiato. Riempire le cipolle con il composto ottenuto, sistemarle sulle fette di pane e spolverizzarle con le croste tritate. Completare con un filo d'olio e far gratinare in forno per 2 minuti sotto il grill ben caldo.

FIORI DI ZUCCA ALLA BOTTARGA

I fiori di zucca fritti a casa nostra si cucinano rigorosamente ripieni di mozzarella e alici.
La tradizione romana non si tradisce... eppure questa versione con la bottarga è davvero originale
e golosa. La bottarga, infatti, ha un gusto intenso e salato che si sposa bene con il sapore di latte
della ricotta, proprio come le alici si abbinano perfettamente alla mozzarella. A voi la scelta!

Per 4-6 persone
- 20 fiori di zucca
- 250 g di ricotta
- 70 g di bottarga
  di muggine
- 120 g di farina
- 1 tuorlo
- 250 ml d'acqua frizzante
  ghiacciata
- maggiorana qb
- olio di semi
- sale e pepe

In una ciotola mescolare la ricotta con 30 g di bottarga
grattugiata, qualche fogliolina di maggiorana, sale e pepe.
Aprire delicatamente i fiori di zucca (il pistillo si può togliere
o tenere, a seconda dei gusti) e riempirli con un cucchiaino
di crema di ricotta, quindi richiuderli avvicinando i petali tra loro
e girandone la punta come si fa con l'incarto delle caramelle.
Sbattere il tuorlo con l'acqua fredda frizzante, unire il sale e la
farina sempre mescolando (non usare il frullatore e non lavorare
troppo la pastella che, come caratteristica, avrà piccoli grumi
di farina). Immergere i fiori di zucca nella pastella e friggerli
in abbondante olio ben caldo. Scolarli su carta da cucina e servirli
accompagnati con il resto della bottarga tagliata a fettine.

**Sostituite la bottarga con stessa quantità
di salmone affumicato tritato. Scoprirete
un'altra bontà.**

CRUMBLE DI VERDURE

Quest'anno mi sono impegnata a cucinare molte più verdure che in passato. Sono stata brava a proporre alla mia famiglia sempre ricette diverse e golose. Le zucchine e le carote lesse, in effetti, non sono molto appetitose, ma se mescolate gusti diversi, fate cotture veloci e condite tutto con un crumble il successo è assicurato.

Per 4 persone
- 3 patate
- 1 melanzana
- 2 pomodori
- 1 zucchina
- 1 peperone
- 3 fette di pane
- basilico e origano qb
- olio extravergine
- sale

Sbucciare, affettare sottilmente le patate e sbollentarle. Tagliare a fette sottili anche le altre verdure, quindi disporle in fila in una teglia da forno, alternandole. Salare, condire il tutto con un filo d'olio e cuocere a 180° per 15 minuti. Tritare il pane con il basilico e l'origano, distribuire il crumble sulle verdure, completare con un filo d'olio e ripassare sotto il grill per qualche altro minuto.

PASSATA DI PISELLI
CON QUENELLE DI RICOTTA

Sono sempre felice di incontrare uno chef donna. Sono stata particolarmente onorata, poi, quando ho conosciuto Luisa Valazza, del famoso e stellato Al Sorriso di Soriso in provincia di Novara. A differenza di tanti chef uomini, Luisa ha un approccio pratico ed elegante alla cucina. La sua vellutata con gamberi è semplice e squisitissima nello stesso tempo. Un piatto che tutti possono provare a cucinare a casa propria!

Per 4 persone
- 200 g di piselli sgranati
- 8 gamberi rossi
- 100 g di ricotta vaccina
- 1 scalogno
- brodo vegetale qb
- pane di segale qb
- menta qb
- cannella qb
- burro qb
- olio extravergine
- sale e pepe

Tritare lo scalogno e soffriggerlo in padella con l'olio, quindi unire i piselli, coprirli a filo con il brodo vegetale e portarli a cottura. A parte mescolare la ricotta con olio, sale, pepe e menta tritata. In una padella antiaderente tostare il pane con il burro, poi insaporirlo con un pizzico di cannella. Salare i gamberi sgusciati e rosolarli in padella con l'olio per pochissimo tempo. Frullare la zuppa di piselli, in modo da ottenere una vellutata, servirla con una quenelle di ricotta, i crostini e i gamberi in ciotole piccole, per miniporzioni, o in piatti fondi se la si propone come primo piatto.

> > > > > > > > > > > > > **30 min**

CALAMARI RIPIENI DI MELANZANE

I calamari ripieni sono un piatto tradizionale e un po' pesante. Provate questa versione dell'esperto di pesce Davide Valsecchi con le melanzane tritate e cambierete sicuramente idea!

Per 4 persone
- 8 calamari piccoli
- 1 melanzana
- 1 uovo
- pomodorini qb
- prezzemolo qb
- pangrattato qb
- grana qb
- pepe bianco qb
- 1 bicchiere di vino bianco
- olio extravergine
- sale

Per il ripieno, mescolare il prezzemolo con il pangrattato, il grana grattugiato e l'uovo. Sbucciare la melanzana, tritarla al coltello a pezzetti molto piccoli. Pulire i calamari, tritare i tentacoli e rosolarli nell'olio insieme a metà melanzana. Salare e sfumare con il vino, poi unirli al ripieno, aggiungendo anche un po' di pepe bianco. Farcire i calamari con questo composto e chiuderli con uno stecchino, quindi farli rosolare in padella con un filo d'olio e con la dadolata rimasta di melanzane. Dopo qualche minuto aggiungere i pomodorini tagliati a metà, il prezzemolo tritato e sfumare ancora con il vino. Cuocere per altri 3-4 minuti.

INSALATA RUSSA SPECIALE

L'insalata russa è un antipasto che non può mai mancare nel menù di festa della nostra famiglia. Quando mi sento particolarmente in vena o quando mi sono dimenticata di comprarla, preparo io stessa la maionese usando un uovo intero e circa 350 ml di olio di semi. Il più delle volte però uso quella in vasetto. Il segreto di questo piatto, infatti, non sta tanto nella salsa quanto nel gusto speciale dato dalle verdurine sott'aceto tritate piccole piccole. Un trucco che mi ha insegnato Anna Casani, cuoca sopraffina!

Per 4 persone
- 2 patate medie
- 2 carote
- 1 vasetto di giardiniera
  + qb per decorare
- 1 cucchiaio di carciofini
  sott'olio
- 1 cucchiaio di funghetti
  sott'olio
- 150 g di tonno sott'olio
- 125 g di maionese
- 1 bicchiere di aceto
  di vino bianco

Bollire le carote e le patate in acqua e aceto e, una volta pronte, tagliarle a pezzetti piccolissimi. Tritare nel mixer in maniera molto grossolana le verdure della giardiniera e quelle sott'olio e mescolarle insieme alle verdure. Spezzettare il tonno con la forchetta e unirlo al resto degli ingredienti. Amalgamare il tutto con la maionese e decorare con altra verdura sott'aceto.

PARMIGIANA DI PEPERONI

Due parole su come preparare i peperoni abbrustoliti: io li metto interi sulla placca del forno e li faccio cuocere a 200° per 20 minuti rigirandoli almeno una volta. Poi li lascio raffreddare nel forno e infine li spello senza fatica. A casa siamo tutti pazzi per questo ortaggio e la peperonata è uno dei nostri contorni preferiti.

Per 4 persone
- 4 peperoni abbrustoliti e spellati
- 1 mozzarella
- passata di pomodoro qb
- pane carasau qb
- basilico qb
- olive nere denocciolate qb
- grana qb
- pangrattato qb
- 1 spicchio d'aglio
- olio extravergine
- sale

Dividere a falde i peperoni abbrustoliti e tagliare la mozzarella a fette. Strofinare il fondo e le pareti di una pirofila da forno con l'aglio, ungerla d'olio e sistemare i peperoni sulla base, salare, coprire con le fettine di mozzarella, qualche cucchiaiata di passata di pomodoro, le olive, il basilico e uno strato di pane carasau. Ripetere con un secondo strato e concludere spolverizzando di pangrattato e grana grattugiato. Condire ancora con un filo d'olio e infornare a 180° per 20 minuti.

Provate a frullare qualche falda di peperone abbrustolita e condita con olio e sale: otterrete una crema meravigliosa da accompagnare al pesce bollito... Divino!

BACCALÀ MANTECATO

Il baccalà mantecato è diventato un classico delle mie cene. Lo servo come aperitivo sulle fettine di polenta insieme a una bella bottiglia di bollicine e riscuoto sempre un successone. Il segreto è comprare il baccalà già dissalato per evitare tutto l'ammollo del pesce e aggiungere un po' di pane per smorzare il gusto troppo intenso e rendere il composto più cremoso. Me l'ha insegnato Lorenzo Boni.

Per 4 persone
- 400 g di baccalà già ammollato e dissalato
- 100 ml di latte
- 2 fette di pancarrè
- 1 spicchio d'aglio
- 100 ml d'olio extravergine
- crostini di polenta qb
- sale e pepe

Mettere a cuocere il baccalà con un bicchiere d'acqua, il latte e l'aglio per circa 20-40 minuti, finché il liquido non si sarà asciugato quasi del tutto. Farlo raffreddare leggermente, spinarlo se necessario e tritarlo nel mixer insieme al pancarrè. Aggiustare di sale e pepe e aggiungere l'olio poco per volta fino a ottenere un composto omogeneo simile a un purè. Se risultasse troppo asciutto, aggiungere un po' di latte. Servire su crostini di polenta scaldati sotto il grill del forno o in padella.

PATÉ DI FAGIANO

In una tavola delle feste il paté non può mai mancare. Non solo perché è buonissimo, ma anche perché si prepara il giorno prima e solleva la padrona di casa dalle incombenze dell'ultimo minuto. Per questa deliziosa ricetta devo ringraziare Anna Capra, cara amica di famiglia.

Per 4 persone
- 1 fagiano medio
- 300 g di fegato di vitello
- 200 g di burro
- 200 ml di panna fresca
- 1 bicchiere di vino bianco
- ¹/₂ bicchiere di Marsala secco
- 1 cipolla
- 1 bustina di gelatina istantanea
- salvia qb
- timo qb
- rosmarino qb
- olio extravergine
- sale e pepe

Farsi preparare dal macellaio il fagiano già tagliato a pezzi e rosolarlo in padella con l'olio, il rosmarino, il timo e la salvia. Salare, pepare, sfumare con il vino bianco e portare a cottura con il coperchio, a fuoco basso. Se necessario aggiungere un po' d'acqua. Una volta pronto, farlo intiepidire, disossarlo, scartando le parti troppo scure o secche. In un tegame, soffriggere la cipolla tritata con il burro, aggiungere i pezzi di fagiano e il fegato tagliato a pezzi piccoli e rosolare brevemente. Togliere dal fuoco e frullare il tutto unendo anche la panna. Versare il composto ottenuto in una terrina foderata di pellicola per alimenti e trasferire in frigorifero almeno per una notte. Preparare la gelatina: sciogliere la bustina in mezzo litro d'acqua, aggiungere il Marsala, fare bollire per un minuto e spegnere. Metterla a raffreddare in frigo per una notte e poi tagliarla grossolanamente e usarla per guarnire il piatto distribuendola intorno al paté.

PIOVRA AI FAGIOLI E LIMONE

Questa è una delle ricette che mi ha regalato Stefano De Lorenzi, chef dello Zenzero a Grumolo delle Abbadesse. Com'è difficile ricordarsi il nome di questo paese! La caratteristica di Stefano è quella di eseguire metodi di cottura particolari e usare pochissimo condimento. Se volete ricreare il suo piatto, dunque, andateci piano con l'olio... altrimenti si arrabbia.

Per 4 persone
- 1 piovra o polpo di media grandezza
- 100 g di fagioli borlotti sgranati
- brodo vegetale qb
- 1 chiodo di garofano
- salvia qb
- rosmarino qb
- basilico qb
- scorza di limone non trattato qb
- olio extravergine
- sale e pepe

Bollire una piovra di medie dimensioni in acqua bollente per 40 minuti. Una volta pronta, lasciarla intiepidire nella propria acqua in modo da poterla lavorare senza scottarsi. Lessare i fagioli nell'acqua con il sale, il rosmarino, la salvia, un chiodo di garofano e una macinata di pepe. Dopo un'ora circa scolarli e frullarli con un po' d'acqua e brodo vegetale fino a ottenere una purea. Per fare in fretta utilizzare i fagioli in scatola usando lo stesso procedimento ma facendoli cuocere solo 10 minuti. Una volta pronta la passata di fagioli, metterne qualche cucchiaio su un piatto fondo, adagiare sopra la piovra tagliata a pezzi, condire con un filo d'olio e terminare con una grattatina di scorza di limone e qualche foglia di basilico.

I legumi con il pesce sono sempre una scelta vincente: provate la piovra anche con i ceci.

CALZONE DI CIPOLLA

Non bisogna pensare che una farcitura di cipolla possa rendere questo calzone indigesto. Quando la cipolla è cotta nella maniera giusta, cioè piano piano senza bruciare, diventa dolce e delicata. Davvero irresistibile.

Per 4-6 persone
- 2 rotoli di pasta sfoglia
- 4-5 cipolle rosse grosse
- 5 acciughe sott'olio
- 1 uovo
- 3 cucchiai colmi di pecorino grattugiato
- basilico qb
- olio extravergine

Tagliare ad anelli le cipolle e stufarle dolcemente a fuoco lentissimo con l'olio, un po' d'acqua, le acciughe e una foglia di basilico fino a che non sono morbidissime. Coprire con il coperchio durante la cottura e, una volta pronte, lasciarle raffreddare (si possono preparare anche il giorno prima). Unire alle cipolle l'uovo e il pecorino e sbattere bene. Stendere un disco di pasta nella tortiera, bucherellarlo con la forchetta, farcire la torta e ricoprirla con il secondo disco. Bucherellare anche il disco superiore poi cuocere in forno per 40 minuti a 200°.

TORTA DI FIORI DI ZUCCA

Mi piace aggiungere nelle torte salate un po' di formaggio fresco. Lo faccio spesso anche nella frittata che arricchisco con la robiola o con quello che mi rimane in frigo. Qui il tocco in più è dato proprio dalla robiola che renderà la farcitura della torta ancora più cremosa.

Per 4-6 persone
- 1 rotolo di pasta brisée
- 5 fiori di zucca
- 100 g di robiola
- 2 zucchine
- 1 cipolla di Tropea
- 1 uovo
- 1 tuorlo
- 2 cucchiai di panna fresca
- olio extravergine
- sale e pepe

Cuocere in bianco, cioè senza la farcitura, il guscio di pasta brisée steso nella tortiera per 10 minuti a 190°. Soffriggere in un po' d'olio la cipolla tritata con le zucchine tagliate a fette, salare e pepare. Aggiungere i fiori interi e cuocere un paio di minuti. Mescolare le uova con la panna e la robiola in modo da ottenere una crema. Sistemare sul guscio di pasta la verdura, versarci sopra la crema e cuocere altri 40 minuti in forno.

FRICIULIN DI BACCALÀ E ZUCCHINE

I friciulin sono delle deliziose frittelle di patate che si possono arricchire a seconda dei gusti. Davide Valsecchi, esperto ittico e ottimo cuoco, mi ha insegnato a prepararli con zucchine e baccalà e a cuocerli in maniera light, in forno. C'è un solo problema... non smetterei più di mangiarli.

Per 4 persone
- 700 g di patate
- 300 g di baccalà
  già ammollato e dissalato
- 2 zucchine
- 1 scalogno
- grana qb
- 1 uovo
- prezzemolo qb
- pangrattato qb
- olio extravergine
- sale e pepe

Lessare le patate, sbucciarle e schiacciarle con la forchetta o con lo schiacciapatate. Nel frattempo imbiondire lo scalogno tritato con un po' d'olio e aggiungere le zucchine tagliate a dadini piccoli e il pesce a pezzi. Lasciare cuocere qualche minuto fino a che le zucchine non si ammorbidiscono e il pesce non è cotto, poi togliere dal fuoco. Unire le patate, condire con il grana grattugiato, poi aggiungere l'uovo, il pepe e il prezzemolo tritato. Salare leggermente e modellare delle polpettine. Passarle nel pangrattato, sistemarle su una placca foderata con carta da forno, completare con un filo d'olio e infornare a 180° per 15 minuti. In alternativa si possono friggere.

MUFFIN DI ZUCCA

Io amo tantissimo la zucca, nella stagione fredda la cucino quasi ogni settimana e regolarmente me la mangio da sola perché in famiglia non piace a nessuno. All'interno di un impasto, invece, la mia adorata zucca viene apprezzata incondizionatamente da tutti. Questi deliziosi muffin possono essere serviti come antipasto o venire aggiunti come piccole golosità al cestino del pane.

Per 8 muffin
- 150 g di zucca
  già sbucciata
- 200 g di farina
  + qb per i pirottini
- 100 ml di latte
- 60 g di burro
  + qb per i pirottini
- 1 uovo
- 1 cipolla
- 1 bustina di lievito
  istantaneo per torte
  salate
- semi di papavero qb
- olio extravergine
- sale e pepe

Tagliare la zucca a pezzi. Sbucciare la cipolla, tritarla finemente e farla appassire in padella con un filo d'olio. Aggiungere la zucca, salare e cuocere dolcemente fino a che non diventa morbida poi con la forchetta ridurla in purea. Impastare la farina con il lievito, l'uovo leggermente sbattuto, il burro fuso, il latte, il purè di zucca e una spolverata di semi di papavero. Salare e pepare, quindi versare il composto nei pirottini da muffin imburrati e infarinati. Trasferirli in forno già caldo a 180° e cuocerli per circa 20 minuti.

QUICHE DELIZIOSA DI ZUCCHINE E SPECK

Questa è la quiche di Andrea Moro, uno dei miei migliori amici nonché testimone di nozze.
Quando eravamo ragazzi lui aveva due panetterie e io ho passato molti pomeriggi nel
retrobottega ad aspettare che infornasse le brioche o le quiche. Questa in particolare è favolosa.
Deve restare alta e morbida dentro, con la crosticina croccante e dorata. Dopo tanti anni vedere
di nuovo Andrea mentre la cucinava è stato un bellissimo tuffo nel passato! Peccato che da
ragazzi dopo si andava a ballare...
P. S. Se non avete voglia di fare come Andrea, la pasta brisée si può anche comprare già pronta!

Per 4-6 persone
Per la pasta brisée
- 250 g di farina
- 80 g di burro
- 100 ml d'acqua
  ghiacciata
- sale

Per farcire
- 700 g di zucchine
- 100 g di speck a fette
  spesse
- 200 g di ricotta
- 50 g di grana
- 3 uova
- 1 bustina di zafferano
- 1 spicchio d'aglio (se non
  l'amate potete sostituirlo
  con dei porri)
- olio extravergine
- sale e pepe

Per guarnire
- 1 tuorlo
- 2 cucchiai di latte
- 7 pomodorini Pachino
  o ciliegino

Per la pasta, frullare nel mixer la farina, il burro freddo a cubetti e un pizzico di sale, poi unire l'acqua fredda e frullare ancora. Togliere il panetto dal mixer, modellarlo con le mani, avvolgerlo nella pellicola per alimenti e farlo riposare nel frigo per 30 minuti. Questo impasto si può fare anche a mano. Intanto preparare il ripieno: tagliare le zucchine a dadini piccoli e saltarle in padella con uno spicchio d'aglio oppure con del porro tritato, l'olio e il pepe. Il consiglio è di cuocerle velocemente a fuoco alto per renderle croccanti. Al termine della cottura salare, ma non troppo dato che lo speck è già salato di suo. Tagliare a striscioline le fettine di speck (tenerne alcune da parte per decorare la torta insieme ai pomodorini), unirle alle zucchine e ripassare il tutto per qualche minuto a fuoco vivo, giusto il tempo di rendere croccante lo speck. Lasciare raffreddare. A parte sbattere le uova, sciogliendovi dentro lo zafferano. Unire la ricotta, il grana grattugiato, sale e pepe. Stendere tre quarti della pasta su una tortiera dai bordi alti (unta o rivestita con carta da forno), lasciare sbordare all'esterno la pasta in eccesso e bucherellare con una forchetta il fondo. Mescolare insieme zucchine e speck con il preparato di uova, quindi versare il tutto nella teglia, rigirando i lembi di pasta brisée all'interno. Con la pasta avanzata ricavare delle striscette e formare una griglia come per la crostata. In ultimo decorare con i pomodorini tagliati a metà e lo speck rimasto e spennellare il tutto con latte e rosso d'uovo sbattuti insieme. Cuocere la torta nel forno preriscaldato a 180° per circa 30-40 minuti o fino a quando la pasta non ha acquisito il classico colore dorato.

FOCACCIA SENZA GLUTINE

L'intolleranza al glutine è davvero fastidiosa. Non poter mangiare il pane è proprio una sofferenza. Lo so bene perché ultimamente è un problema che riguarda anche mio marito Fabio. Con questa focaccia, però, anche chi non può mangiare glutine si toglierà qualche sfizio. L'impasto fatto con le patate rende la focaccia soffice e golosa.

Per 4-6 persone
- 700 ml d'acqua tiepida
- 750 g di farina di riso
- 250 g di fecola di patate
- 80 g di farina senza glutine
- 50 g di lievito di birra
- 2 patate lesse
- 3 cucchiai d'olio extravergine
- rosmarino qb
- sale

Sciogliere il lievito nell'acqua. In una ciotola mescolare insieme le farine e la fecola, schiacciare con lo schiacciapatate le patate, aggiungere l'olio, il sale, l'acqua e impastare per 10 minuti. Far lievitare l'impasto coperto con un canovaccio per almeno 40 minuti, poi stendere su una teglia ricoperta di carta da forno, condire con altro olio, sale, rosmarino e cuocere mezz'ora a 190° in forno ventilato già caldo.

PIZZA AL TEGAMINO

Questa pizza è una specialità piemontese molto apprezzata. È abbastanza alta perché cuoce proprio in un tegamino: l'impasto rimane soffice dentro e croccante all'esterno. Se non avete il tipico tegamino, potete anche usare una semplice tortiera. Provate a farcirla con mozzarella e scamorza: una vera delizia. Grazie a Giuseppe Giordano, il mio amico pizzaiolo di Alessandria che ha fatto di questa pizza una vera arte!

Per 4 pizze
- 1 kg di farina + qb
  per stendere
- 500 ml d'acqua
- 25 g di lievito di birra
- 20 ml d'olio extravergine
- provola affumicata qb
- mozzarella fior di latte qb
- passata di pomodoro qb
- basilico qb
- origano qb
- pomodorini qb
- aglio qb
- olio extravergine
- sale

Sbriciolare il lievito nella farina, in una ciotola capiente impastarla con l'acqua aggiunta poco per volta, poi unire anche l'olio e solo alla fine 10 g di sale. Coprire e lasciare lievitare per un'ora, quindi dividere l'impasto in 4 panetti. Ungere d'olio un tegamino grande come un piatto, oppure una tortiera di 22 cm di diametro. Stendere i panetti con le dita aiutandosi con un po' di farina stesa sul piano di lavoro e poi sistemarli nei tegamini, lasciando il bordo alto. Farcire 2 pizze con la provola affumicata e il fior di latte ridotti a dadini, e le altre 2 con la passata di pomodoro e il fior di latte. Cuocere in forno ventilato a 250-270° per 10 minuti. Guarnire la pizza alla provola con pomodorini, olio, aglio e sale e la margherita con origano, basilico e sale.

"LA BELLA CALDA"

Insieme alla pizza al tegamino nelle pizzerie di Alessandria, la mia città, si ordina la farinata, una spianata di acqua e farina di ceci che bisogna mangiare caldissima, tant'è vero che in alessandrino si chiama proprio "la bella calda". Provatela con un'abbondante macinata di pepe e un bicchiere di Dolcetto come accompagnamento!

Per 4 persone
- 250 g di farina di ceci
- 700 ml d'acqua
- rosmarino qb
- ½ bicchiere d'olio extravergine
- sale e pepe

Versare l'acqua in una ciotola e con una piccola frusta stemperare gradualmente tutta la farina di ceci mescolando in continuazione per evitare la formazione di grumi. Aggiungere anche un rametto di rosmarino e lasciare riposare almeno mezz'ora. Prima di cuocere la farinata aggiungere anche l'olio, versandolo a filo, e un cucchiaino di sale. Foderare una teglia con carta da forno, ungerla d'olio, versare la farinata e cuocere in forno già caldo a 220° per 10 minuti o fino a quando la superficie non sembrerà croccante. Passare poi qualche minuto sotto il grill ben caldo per favorire la formazione della crosticina abbrustolita. Sfornare e spolverizzare con del pepe, quindi servire subito tagliata a rombi.

La farinata è un'ottima alternativa al pane per chi è intollerante al glutine.

BUDINO ALLO SCALOGNO

Più che un antipasto questa preparazione è un contorno, perfetto da servire con un secondo di carne importante. Lo scalogno caramellato si sposa perfettamente con il cotechino, accompagnato naturalmente dalle immancabili lenticchie.

Per 4-6 stampini
- 300 ml di latte
- 3 uova
- 3 scalogni
- 3 cucchiai di zucchero
- 1 cucchiaio di aceto balsamico
- 1 rametto di mirto
- 25 g di burro
- sale e pepe

Tritare gli scalogni, stufarli con il burro e il mirto, salare, unire il latte e l'aceto balsamico e cuocere ancora per 2 minuti. Eliminare il mirto e frullare gli scalogni con il loro sugo quindi aggiungere uova, sale, pepe e frullare ancora. Caramellare lo zucchero in un pentolino con un cucchiaio d'acqua, fino a che non diventa di un bel colore brunito. Versarlo negli stampini come base, aggiungere poi la crema agli scalogni e cuocere a bagnomaria in forno già caldo a 180° per 30 minuti. Attenzione a girare i budini quando sono ancora tiepidi, altrimenti il caramello sulla base si rapprenderà e diventerà appiccicoso.

POLPO E PATATE IN FORMA

Il polpo con le patate è un piatto sempre squisito. In questa preparazione il valore aggiunto è una presentazione degna di un grande ristorante... il tutto grazie a un semplicissimo trucchetto!

Per 3-4 persone
- 1 polpo di media grandezza
- 3 patate lesse
- 4 cucchiai di pesto
- prezzemolo qb
- pepe in grani qb
- 2 cucchiai d'olio extravergine
- sale

Mettere il polpo in una pentola di acqua bollente non salata, aromatizzata con un po' di prezzemolo e pepe in grani, e cuocere per 40 minuti circa dalla ripresa del bollore, poi lasciarlo raffreddare nella sua acqua. Tagliare il polpo a tocchetti, sbucciare e tagliare anche le patate lesse. Mescolare polpo e patate con un filo d'olio, il sale e il prezzemolo tritato in maniera che il condimento venga ben assorbito e lasciare insaporire fino al momento di servire. Quindi impiattare: prendere una ciotolina tonda come quelle della macedonia, ungerla d'olio, versarci 2 cucchiai di insalata di polpo e pressare il composto con il dorso del cucchiaio come fosse uno stampino. Appoggiare un piatto sulla ciotola, rigirare velocemente in maniera che l'insalata scenda sul piatto e rimanga compatta a forma di cupola. Procedere in questa maniera per ogni piatto. Mescolare il pesto con un po' d'olio per ottenere una salsa e lasciarla scendere a grosse gocce intorno alla cupola d'insalata di polpo a mo' di decorazione.

FOCACCIA AL FORMAGGIO DI MALGA

Dopo aver finito i lavori di ristrutturazione in casa quest'inverno, ho deciso di invitare le mie amiche per un aperitivo. Volevo mostrare loro il mio nuovo soggiorno, quello che io chiamo "il soggiorno pomposo" perché è elegante, pieno di cuscini e i bambini non possono assolutamente entrarci! Ebbene, in quell'occasione ho preparato questa deliziosa focaccia di formaggio e cipolla da servire tiepida e filante. È stato un successo, ma devo dire che il formaggio filante accanto ai miei amatissimi divani bianchi è stata una scelta un po' azzardata. A me è andata bene, ma attenzione: il pericolo è dietro l'angolo!

Per 4-6 persone
- 700 g di pasta di pane
- 200 g di formaggio di malga
- 150 ml di latte
- 150 ml di panna fresca
- 2 uova
- 2 cucchiai di farina
- 2 cipolle bianche
- olio extravergine
- sale e pepe

Fare lievitare la pasta di pane per 40 minuti circa coperta da un canovaccio (la potete comprare in tutte le panetterie, altrimenti fatela da voi impastando 500 g di farina con una bustina di lievito di birra secco o un panetto di quello fresco, sale e tanta acqua quanto basta per creare un composto plastico e non appiccicoso), poi stenderla in una teglia foderata di carta da forno. Affettare finemente le cipolle, salarle leggermente e farle ammorbidire in padella con un po' d'olio e mezzo bicchiere d'acqua per circa 10 minuti. Una volta pronte, distribuirle sopra la pasta, tagliare a fettine il formaggio e disporlo sopra le cipolle. Stemperare la farina con le uova, il latte e la panna, salare e pepare. Versare la crema ottenuta sopra il formaggio e cuocere in forno già caldo a 200° per 50 minuti circa.

PIZZAMUFFIN

I pizzamuffin sono golosissimi incroci tra una pizzetta e un muffin! Perfetti da sbocconcellare sorseggiando una birra, ma ottimi anche da unire al cestino del pane.

Per 6-8 muffin
- 240 g di farina
- 200 g di mozzarella per pizza
- 200 ml di latte
- 150 g di pomodorini
- 100 g di olive nere denocciolate
- 30 g di grana
- 4 fette di prosciutto cotto
- 2 uova
- 1 bustina di lievito istantaneo per torte salate
- origano qb
- burro qb
- olio extravergine e sale

Tagliare i pomodorini e le olive in 4 e la mozzarella a dadini. In una ciotola mescolare la farina, il sale, il lievito e il grana grattugiato. A parte sbattere le uova con il latte e 2 cucchiai di olio. Unire i 2 composti e mescolare fino a ottenere un impasto omogeneo, quindi aggiungere i pomodorini, la mozzarella, le olive, il prosciutto cotto tagliato a striscioline e un po' di origano. Versare il composto ottenuto negli stampini da muffin precedentemente imburrati e cuocere in forno già caldo a 180° per 30 minuti circa.

QUICHE DI ASPARAGI

La quiche ci toglie sempre dagli impicci. Può sostituire egregiamente una pastasciutta o fare bella figura come antipasto. Però deve essere super buona. Alcune torte salate sono asciutte, banali e noiose... Questa no, ve lo assicuro. La farcia preparata con la panna, i tuorli e il grana ha una cottura un po' lunga ma quando l'assaggerete verrete ripagati di tutta l'attesa.

Per 6-8 persone
- 1 rotolo di pasta sfoglia
- 2 mazzi di asparagi
- 300 ml di panna fresca
- 100 g di grana
- 3 tuorli
- 1 scalogno
- olio extravergine
- sale e pepe

Lessare gli asparagi in acqua salata per pochi minuti in maniera che restino croccanti. Tagliare a tocchetti i gambi e soffriggerli in padella con lo scalogno tritato e l'olio, salare e lasciare insaporire per 5 minuti. Mescolare in una ciotola i tuorli con la panna, il grana grattugiato, sale e pepe quindi aggiungere i gambi degli asparagi. Stendere la pasta sfoglia su una tortiera lasciando sotto la sua carta da forno e farcirla con il composto di uova e asparagi. Completare con le punte di asparagi, infornare a 180° e cuocere per 40-45 minuti.

Con questo mix di uova e panna potete preparare la quiche che più vi piace usando qualsiasi verdura!

CHEESECAKE ALLE ZUCCHINE

La cheesecake mi piace così tanto che ogni tanto azzardo a prepararne alcune versioni salate! Questa tortina si presenta molto piccola ma raffinata. Potete prepararla il giorno prima e cuocere all'ultimo momento la guarnizione di zucchine spadellate.

Per 2-4 persone
- 200 g di zucchine col fiore
- 250 g di robiola
- 80 ml di panna fresca
- 80 g di grissini
- 60 g di burro
- 2 fogli di gelatina
- olive verdi denocciolate qb
- curry qb
- olio extravergine
- 1 spicchio d'aglio
- sale

Ammollare la gelatina nell'acqua, mettere a scaldare 20 ml di panna poi scioglierci dentro la gelatina ben strizzata. Mescolare la robiola con il resto della panna e poi unire anche quella con la gelatina. Tritare i grissini, mescolarli con il burro fuso e disporli sulla base di una tortiera foderata di carta da forno, pressandoli con le mani e formando la base della cheesecake. Tagliare a tocchetti le zucchine e rosolarle in padella con un filo d'olio e l'aglio. Unire i fiori di zucchina e il sale, quindi insaporire il tutto con un po' di curry. Versare la crema di robiola nel guscio di grissini e fare rapprendere in frigorifero. Una volta pronta, sformarla e completare con le zucchine e qualche oliva.

QUICHE DI PATATE

Questa quiche è tanto bella quanto buona. L'abbinamento delle patate con la senape e il formaggio è davvero perfetto. Meglio se usate uno stampo a cerniera, così sarete sicuri di non romperla mentre la sformate, sarebbe un vero peccato!

Per 4-6 persone
- 750 g di patate
- 125 g di raspadura
- 1 cucchiaio di senape
- 2 cipolle
- rosmarino qb
- noce moscata qb
- 80 g di burro chiarificato
  + qb per la teglia
- sale

Sbucciare e tagliare le patate a fettine sottilissime usando la mandolina. Tritare le cipolle e farle stufare lentamente con una noce di burro quindi aggiungere la noce moscata, il sale, il rosmarino, la senape, il formaggio e spegnere il fuoco. Imburrare una teglia da torta, disporre sul fondo metà delle patate, sovrapponendole leggermente, salando e bagnandole bene con del burro fuso. Coprire con la preparazione di cipolle e formaggio e poi con un altro strato di patate. Infine spennellare ancora con il burro e infornare a 200° per 45-50 minuti.

BLINIS DI CASTAGNE

I blinis sono una specie di frittella, tipica della tradizione russa che si serve con il caviale e la panna acida. Questa rivisitazione con la farina di castagne è più casereccia, sicuramente più economica e molto buona. Io ci abbino il formaggio di capra, noci, miele e un buon bicchiere di vino.

Per 4 persone
- 150 g di farina di castagne
- 150 g di formaggio di capra
- 200 ml d'acqua frizzante
- 1 albume
- gherigli di noci qb
- miele di castagno qb
- erba cipollina qb
- prezzemolo qb
- olio di semi
- sale

In una ciotola setacciare la farina di castagne con un pizzico di sale, poi stemperarla con l'acqua frizzante un po' per volta mescolando con una frusta per evitare grumi. Montare l'albume a neve ben ferma e incorporarlo alla pastella mescolando dal basso verso l'alto per non smontarlo: bisogna ottenere un risultato simile a una mousse. Coprire la ciotola con pellicola per alimenti e lasciare riposare per circa 40 minuti al fresco. Scaldare una padella spennellata con l'olio. Versare un paio di cucchiaiate della pastella, creando delle piccole crêpes spesse del diametro di 6-7 cm e cuocerle per 2 minuti su entrambi i lati. Servire i blinis caldi guarniti con una cucchiaiata di formaggio, un po' di miele, le noci tritate, erba cipollina e prezzemolo.

Se non amate il formaggio, servite i blinis con lardo e rosmarino.

TRIS DI ASPARAGI BIANCHI

Un antipasto speciale giocato sulle qualità uniche dell'asparago bianco: al forno con pancetta, in insalata e in un tortino. Sono legata a queste ricette perché le ha cucinate con me Silvia Bizzotto, autrice televisiva che lo scorso anno ha trascorso più tempo con me di mio marito!

Per 8 tartellette
- 500 g di asparagi bianchi
- 1 rotolo di pasta sfoglia
- 100 g di besciamella
- 2 uova
- 100 g di grana
- noce moscata qb
- sale

Per l'insalata di gamberi
- 500 g di code di gambero
- 8-10 uova di quaglia
- 400 g di asparagi bianchi
- olio, sale, pepe

Per i grissini
- 500 g di asparagi bianchi
- 150 g di pancetta affumicata affettata
- 4 cucchiai di pangrattato
- 4 cucchiai di grana
- olio extravergine
- sale

Per le tartellette: lessare gli asparagi poi scartare la parte del gambo più dura e tagliare a tocchetti il resto, frullarli con le uova e la besciamella, poi unire il grana grattugiato, la noce moscata e il sale. Rivestire di pasta sfoglia gli stampini da forno, farcirli con il composto, cuocere a 180° per 20-25 minuti.

Per l'insalata: raschiare la parte più dura degli asparagi poi tagliarli a tocchetti e lessarli in acqua salata. Lessare anche i gamberi e privarli del carapace. Lessare le uova di quaglia per pochissimi minuti, sgusciarle e tagliarle a metà. Unire uova, gamberi, asparagi e condire con olio, sale e pepe.

Per i grissini: raschiare la parte più dura del gambo degli asparagi, poi lessarli in acqua salata lasciandoli abbastanza croccanti. Avvolgere le fettine sottilissime di pancetta intorno a ogni asparago fasciandolo completamente. In una ciotola mescolare il grana grattugiato con il pangrattato e distribuirli sugli asparagi precedentemente adagiati su una teglia da forno. Passare tutto sotto il grill per 2 minuti.

ZUCCHINE RIPIENE DI SALMONE

Ecco un altro modo delizioso per farcire e gustare le verdure ripiene. Questa volta Davide Valsecchi ha utilizzato salmone, ricotta e prezzemolo.

Per 4 persone
- 2 zucchine
- 200 g di filetto di salmone
- 200 g di ricotta
- 1 uovo
- grana qb
- pangrattato qb
- prezzemolo qb
- sale e pepe

Lessare le zucchine in acqua salata per 6 minuti poi tagliarle per il lungo e scavarle leggermente. Tritare la polpa ottenuta insieme al salmone e alla ricotta, poi aggiungere grana grattugiato, prezzemolo tritato, sale e pepe. Unire anche l'uovo e del pangrattato e frullare ancora. Farcire le zucchine con il composto ottenuto, sistemarle su una teglia e cospargerle di grana grattugiato. Con la farcia rimasta formare delle polpette e cuocere tutto a 180° per 10 minuti.

TORTA DI PANE AL SALMONE

Questo è un pane croccante fuori e morbido dentro che si farcisce con ingredienti vagamente nordici: cetrioli, burro, salmone e aneto. Io lo amo moltissimo e lo trovo anche piuttosto scenografico da portare in tavola.

Per 4-6 persone
- 250 g di farina 00
  + qb per stendere
- 250 g di farina integrale
- 150 ml di latte
- 50 g di burro
  + qb per lo stampo
- 50 g di zucchero
- 1 vasetto di yogurt bianco
- 1 bustina di lievito
- 1 cucchiaino di bicarbonato di sodio
- 1 cucchiaio di sciroppo d'acero
- sale

Per farcire
- 50 g di burro
- 200 g di formaggio spalmabile
- aneto qb
- 1 cetriolo
- 250 g di salmone affumicato

Scaldare il forno a 200° e imburrare uno stampo rotondo da 15 cm abbastanza profondo. Mescolare le farine in una terrina con il bicarbonato, il lievito e il sale, aggiungere il burro a pezzetti impastando con la punta delle dita, poi unire lo sciroppo d'acero e lo zucchero. Continuare a impastare versando anche il latticello (cioè il latte mescolato allo yogurt). Se alla fine l'impasto risulta appiccicoso aggiungere della farina, se invece è denso unire un po' di latte. Trasferire il tutto su un piano di lavoro infarinato e impastare giusto il tempo perché diventi morbido e liscio. Formare una palla, adagiarla nello stampo, praticare un taglio a croce sulla superficie e infornare per 45-50 minuti (il pane è cotto quando, battendo con il pugno chiuso sulla base, si sente un rumore vuoto). Se il pane tende a scurire troppo, coprirlo con un foglio di alluminio dopo mezz'ora. Far raffreddare, tagliare la calotta superiore bombata e scartarla, poi affettare in senso orizzontale, dividendolo in 2 o 3 strati (a seconda dell'abilità della cuoca o del cuoco!). Farcirlo con il burro, una parte del formaggio spalmabile, l'aneto, il cetriolo grattugiato e strizzato e le fettine di salmone (lasciarne da parte qualcuna per la decorazione). Richiudere la torta, spalmarla sopra con altro formaggio e decorare con ciuffi di aneto e altre fettine di salmone arrotolate come roselline.

PRIMI

FUSILLI INTEGRALI AL SALMONE

Invece della panna, ecco una salsa cremosa ma dal sapore un po' diverso. L'abbinamento con il salmone affumicato è semplicemente perfetto e i semi di papavero danno un tocco di eleganza e di raffinatezza in più.

Per 4 persone
- 350 g di fusilli integrali
- 200 g di salmone affumicato
- 150 g di formaggio spalmabile
- ¹/₂ bicchiere di latte
- scorza di limone non trattato qb
- semi di papavero qb
- sale

Tagliare il salmone a striscioline. Sciogliere il formaggio in padella assieme al latte su fuoco dolcissimo e, quando sarà diventato una crema fluida, regolare di sale e spegnere il fuoco. Lessare la pasta, scolarla (tenere da parte un po' di acqua di cottura, nel caso il sugo apparisse troppo asciutto), condirla con la crema al formaggio, il salmone a striscioline, la scorza di limone grattugiata e i semi di papavero.

MINI PENNE CON PIOVRE E PISELLI

Primo piatto perfetto per Halloween. Il nome fa davvero paura, ma il sapore è golosissimo. Perché le piovre altro non sono che piccoli pezzi di würstel che in cottura si arricciano e tendono ad assomigliare a polipetti.

Per 4 persone
- 300 g di penne
- 2 würstel piccoli
- 100 g di piselli surgelati
- grana qb
- 1 scalogno
- burro qb
- olio extravergine
- sale

Dividere i würstel in 3 pezzetti e praticare dei tagli profondi su un'estremità in modo da creare dei tentacoli (sembreranno appunto delle piovre). Tritare lo scalogno e soffriggerlo con olio e burro, quindi unire i piselli e cuocere 10 minuti circa aggiungendo sale e qualche cucchiaio d'acqua per non farli bruciare. Nel frattempo mettere a lessare le penne e le piovre di würstel nella stessa acqua con il sale. Una volta cotta la pasta, scolare il tutto e ripassare nella padella con i piselli. Completare con il grana grattugiato.

FETTUCCINE RICCE AL RADICCHIO E CRESCENZA

Il radicchio amarognolo e dal gusto deciso si sposa proprio bene con i formaggi molli. Invece di utilizzare quelli dal sapore molto forte, come il gorgonzola o il taleggio. provate questa fondutina di latte e crescenza: otterrete un piatto più leggero e altrettanto saporito.

Per 4 persone:
- 350 g di fettuccine ricce
- 2 cespi di radicchio
- 100 g di crescenza
- $^1/_2$ bicchiere di latte
- 50 g di granella di nocciole
- 1 scalogno
- grana qb
- olio extravergine
- sale

Affettare il radicchio, stufarlo in padella con l'olio e lo scalogno e salare. A parte, in un pentolino fondere la crescenza con il latte. Cuocere la pasta, scolarla e ripassarla in padella con il radicchio aggiungendo in ultimo la fonduta di crescenza. Mescolare bene e servire con la granella di nocciole tostata in forno e volendo del grana grattugiato.

SPAGHETTI ALLA PAPALINA

Rivisitazione "papalina" della classica carbonara, ma un po' più delicata. Infatti c'è il prosciutto cotto al posto della pancetta affumicata e il grana invece del pecorino.

Per 4 persone
- 350 g di spaghetti
- 100 g di prosciutto cotto
- 2 uova
- 3-4 cucchiai di grana grattugiato
- vino bianco qb
- 1 cipolla
- 40 g di burro
- sale e pepe

Tritare la cipolla e soffriggerla in padella con il burro, quindi unire il prosciutto tagliato a pezzetti e sfumare con il vino. In una terrina sbattere le uova e mescolarle con il grana grattugiato. Nel frattempo lessare la pasta e, una volta pronta, ripassarla in padella con il prosciutto. Poi spegnere il fuoco e unire il composto di uova, aggiungendo se necessario un po' d'acqua di cottura della pasta. Completare con sale e pepe e servire.

CESTINI DI FARFALLE INTEGRALI
ALLA STRACCIATELLA

*Se volete presentare un piatto scenografico senza spendere un occhio della testa. questa
è la soluzione giusta! La stracciatella può essere sostituita con l'interno della burrata.
L'importante è servire la pasta dentro le michette di pane. Un'idea perfetta anche per
un buffet.*

Per 4 persone
- 250 g di farfalle integrali
- 200 g di stracciatella
  vaccina
- 400 ml di polpa
  di pomodoro
- 4 michette
- 2 peperoncini verdi
  piccanti
- 2 spicchi d'aglio
- pecorino qb
- basilico qb
- 4-5 cucchiai d'olio
  extravergine
- sale

Soffriggere in padella l'aglio schiacciato con l'olio, quindi unire
il peperoncino affettato e la polpa di pomodoro. Cuocere a fuoco
vivo per 10 minuti, eliminare l'aglio e salare prima di spegnere,
poi stemperare 2 cucchiai di stracciatella nel sugo. Cuocere
le farfalle, scolarle e saltarle in padella con il sugo. Tagliare le
michette, svuotarle e riempirle con la pasta, completando con le
foglie di basilico e qualche cucchiaio di stracciatella. Insaporire
con una spolverata di pecorino grattugiato.

Con questa ricetta, oltre alla bontà avrete anche un bel vantaggio: non ci saranno piatti da lavare!

SPAGHETTI TRINACRIA

Acciughe, capperi e olive sono ingredienti che tengo sempre in frigorifero. Non vanno a male e mi permettono in qualsiasi momento di arricchire una semplice spaghettata e di fare degli ottimi crostini proprio come in questa occasione.

Per 4 persone
- 350 g di spaghetti
- 1 bicchiere di passata di pomodoro
- ½ peperone
- 1 cipolla
- 10 olive nere
- 1 cucchiaio di pasta d'acciughe
- 1 spicchio d'aglio
- 1 foglia d'alloro
- 1 cucchiaino di origano
- basilico qb
- pecorino qb
- olio extravergine
- sale e pepe

Tritare la cipolla e soffriggerla in padella con dell'olio e il peperone tagliato a pezzi piccoli, unire anche l'aglio e l'alloro. Aggiungere la pasta di acciughe, le olive intere, la passata di pomodoro, l'origano e il basilico e lasciar cuocere a fuoco medio con il coperchio. Nel frattempo lessare la pasta, scolarla al dente e passarla in padella col sugo preparato. Mescolare per qualche minuto tenendo il fuoco alto, quindi servire dopo aver aggiunto pepe e pecorino.

TAGLIATELLE AL LIMONE

Quando in cucina non c'è niente e il tempo è poco, ecco la soluzione: le tagliatelle al limone. Se non avete la panna, non importa, il piatto verrà buonissimo lo stesso. Il segreto, infatti, è solo quello di cuocere le tagliatelle come un risotto. In questo modo avranno una cremosità e un sapore degni della mantecatura di un vero risotto. Con aglio, burro e basilico potete anche preparare dei gustosi crostini.

Per 4 persone
- 350 g di tagliatelle
- 5 cucchiai di panna fresca
- 1 limone non trattato
- 50 g di burro
- 5 cucchiai di grana grattugiato
- basilico qb
- sale

Versare in una padella mezzo litro d'acqua fredda. Grattugiarci la scorza del limone, unire il burro, un pizzico di sale e portare a ebollizione. Mettere le tagliatelle nella padella e mescolare un po' come se si stesse cucinando un risotto. Dopo 3-4 minuti di cottura della pasta, unire il grana, la panna, il succo di limone e il basilico. Mescolare per amalgamare e finire di cuocere altri 2-3 minuti, finché l'acqua non sarà stata quasi del tutto assorbita e il sugo delle tagliatelle risulterà cremoso. Se necessario diluire con altra acqua calda. Servire con filetti di scorza di limone e foglie di basilico.

SPAGHETTI AL LIMONE E FETA

Il segreto di questi spaghetti sta nella mantecatura in pentola. L'effetto dev'essere quello di una deliziosa cremina di feta. Dunque armatevi di pazienza e di acqua di cottura e mescolate bene fino a quando non avrete ottenuto il risultato desiderato... buon appetito!

Per 4 persone
- 350 g di spaghetti
- 200 g di feta
- 1 limone non trattato
- 5 cucchiai di grana grattugiato
- 2 cucchiai di pinoli
- basilico qb
- 4 cucchiai d'olio extravergine
- sale

Lessare e scolare la pasta al dente, lasciando nella pentola circa un dito d'acqua di cottura. Rimettere la pasta nella pentola e aggiungere l'olio, il succo e la scorza del limone, il grana, il basilico e tre quarti della feta sbriciolata. Mescolare bene fino a che non si sarà creata una cremina, quindi servire completando con la feta rimasta e con i pinoli precedentemente tostati in padella per qualche minuto.

TROFIE CON RICOTTA, CARCIOFI E MANDORLE

Una ricetta di Caterina Varvello, giornalista nonché mia carissima amica. Quante spaghettate ci siamo fatte insieme quando eravamo coinquiline a Milano ai tempi dell'università, e già allora in fatto di cucina aveva una vera passione per la ricotta. La sua pasta ai carciofi però ha superato ogni mia aspettativa. Veloce, cremosa e con una nota croccante data dalle mandorle che la rende irresistibile. Brava Cate!

Per 4 persone
- 350 g di trofie
- 250 g di ricotta
- 50 g di mandorle
- 30 g di pecorino
- 4 carciofi
- 2 spicchi d'aglio
- prezzemolo qb
- olio extravergine
- sale e pepe

Pulire i carciofi e tagliarli a fettine sottili, scaldare l'olio in una padella, unire l'aglio, i carciofi, il prezzemolo tritato e salare. Lasciare cuocere coperto finché i carciofi non saranno morbidi, aggiungendo un po' d'acqua calda durante la cottura. In una ciotola mescolare la ricotta, il pecorino, sale e pepe. Tritare le mandorle grossolanamente al coltello e tostarle in una padella antiaderente senza aggiungere condimento. Cuocere la pasta al dente, scolarla tenendo da parte un po' d'acqua di cottura e far saltare nella padella con i carciofi, dopo aver eliminato l'aglio. A fuoco spento aggiungere la ricotta e mescolare bene unendo poca acqua di cottura se il condimento è troppo asciutto. Completare con le mandorle e servire.

BRICK À L'OEUF

Se mio fratello Roberto non fosse il grande viaggiatore che è, non avrei mai conosciuto la bontà di questo piatto che si mangia un po' in tutta l'Africa del Nord. Si tratta di una sfoglia croccante di pasta brick che si trova nei negozi etnici (in alternativa potete usare la pasta fillo), farcita di uova e patate. L'abilità sta nel friggere il brick il tempo necessario perché l'uovo cuocia ma rimanga liquido all'interno. Robi ci è riuscito al primo colpo!

Per 1 brick
- 1 sfoglia di pasta brick o pasta fillo
- 1 patata lessa
- 1 uovo
- 100 g di tonno in scatola
- capperi qb
- groviera qb
- olio di semi
- sale

Spennellare d'olio la pasta brick per non farla seccare. Preparare il ripieno schiacciando la patata lessa con una forchetta, mescolarla con i capperi, il tonno sgocciolato e spezzettato, il groviera tagliato a pezzetti e salare. Farcire il brick con questo composto, praticare una piccola fossetta in mezzo e sgusciarci delicatamente l'uovo crudo. Richiudere il brick come se fosse un pacchetto e friggerlo in olio bollente girandolo molto delicatamente per 3 minuti circa. Attenzione, perché all'interno il tuorlo deve rimanere liquido e l'albume solido.

Se vi piace, nel ripieno del brick potete anche aggiungere del cipollotto o della cipolla tritati.

CONCHIGLIE CURRY, CECI E PANCETTA

Il curry tostato nell'olio sprigiona tutti i suoi profumi e sapori. I ceci abbinati alla pasta sono buonissimi e trasformano un primo in un perfetto piatto unico. I pomodorini danno colore e sapore... e la pancetta è il tocco finale per chi è davvero goloso.

Per 4 persone
- 300 g di conchiglie
- 1 lattina di ceci
- 100 g di pancetta dolce a dadini
- 1 cucchiaio di curry
- 1 cipolla
- 1 porro
- 10 pomodorini
- prezzemolo qb
- olio extravergine
- sale

Tostare per qualche secondo il curry in padella con un po' d'olio. Aggiungere la cipolla tritata, la pancetta e il porro tagliato a rondelle. Lasciare cuocere a fiamma bassa per 5 minuti poi unire i pomodorini, i ceci scolati dall'acqua di conservazione e il sale facendo insaporire. Intanto lessare la pasta in acqua bollente, scolarla al dente e ripassarla in padella con il sugo. Completare con il prezzemolo tritato e servire.

PASTA AL PESTO DI PISTACCHI

Avevo già cucinato in precedenza il pesto di pistacchi ma non l'avevo mai abbinato alla pancetta affumicata. Un'idea vincente che mi viene da Costanza Caracciolo, splendida ex velina di "Striscia la notizia" e grande appassionata di cucina.

Per 4 persone
- 350 g di penne
- 100 g di pistacchi
- 75 g di pancetta affumicata a dadini
- 1 cipolla
- $^1/_2$ bicchiere di latte
- 50 g di grana
- olio extravergine
- sale e pepe

Immergere per qualche minuto i pistacchi in acqua bollente, poi scolarli ed eliminare la pellicina. Tritarli nel mixer aggiungendo qualche cucchiaio d'olio, sale e pepe. Soffriggere in padella con dell'olio la cipolla tritata e la pancetta, unire poi il pesto di pistacchi e allungare con un po' di latte. Lessare la pasta, scolarla al dente, ripassarla in padella con il pesto e completare con il grana grattugiato.

RISO AL SALTO FARCITO

Per fare il riso al salto bisogna avere molta, molta pazienza! L'ho imparato a mie spese dopo aver rotto decine di tortini. La pazienza, infatti, è fondamentale per far venire la crosticina che renderà compatto il nostro riso nel momento cruciale del capovolgimento. Questa preparazione, poi, che prevede un tortino farcito di radicchio e formaggio, ne richiede una dose supplementare! Ma che bontà quando lo si mangia croccante fuori e filante dentro... Un consiglio: se si rompe mentre lo girate niente paura, ricompattatelo e andate avanti. Alla fine vincerete voi!

Per 4 persone
- 300 g di risotto allo zafferano del giorno prima
- 200 g di asiago fresco o fontina
- ½ cespo di radicchio
- 1 scalogno
- olio extravergine
- sale

Affettare lo scalogno e farlo soffriggere in padella con l'olio, unire il radicchio tagliato a striscioline, salare e cuocere fino a che la verdura non è appassita. Ungere una padella antiaderente, distribuirvi metà risotto, schiacciare bene con la mano umida per compattarlo il più possibile, coprire con il radicchio e l'asiago tagliato a lamelle e poi di nuovo con il riso rimasto. Compattare bene il riso e cuocere il tortino per 10 minuti a fuoco dolce in modo che faccia una bella crosta. Poi, aiutandosi con un piatto o un coperchio, rigirare delicatamente il tortino e cuocerlo dall'altra parte ancora per 4-5 minuti circa.

SCRIGNO DI MARE

Quanti ricordi mi evoca questa pasta deliziosa! Quando ero piccola non c'era tutta la varietà di ristoranti che i miei bambini sono soliti frequentare: cinese, giapponese, messicano, fast food americano... Ad Alessandria o si andava a mangiare la pizza o si andava a mangiare... la pizza. Il nostro posto del cuore era la Piedigrotta, dove il mio amico cameriere era Mario. Come alternativa alla pizza c'era la pasta al cartoccio. Che buona! Quando si apriva la stagnola si sprigionava un profumo di pesce davvero celestiale. Ricordo che gli spaghetti erano sempre cotti alla perfezione. Il segreto sta tutto nella cottura della pasta che deve essere scolata talmente al dente da reggere anche la cottura in forno... altro che brunch all'americana!

Per 4 persone
- 300 g di spaghettoni
- 500 g di cozze
- 500 g di vongole
- 2 cucchiai di passata di pomodoro
- 2 spicchi d'aglio
- vino bianco qb
- pomodorini qb
- prezzemolo qb
- peperoncino qb
- olio extravergine
- sale

In una padella larga fare soffriggere l'aglio schiacciato con l'olio. Aggiungere i molluschi, sfumare col vino, coprire col coperchio e farli aprire. Unire i pomodorini tagliati in 4, prezzemolo tritato, peperoncino e passata e regolare di sale se occorre. Nel frattempo lessare e scolare gli spaghetti al dente con almeno 4 minuti di anticipo sul tempo di cottura e saltarli nel sugo. Rivestire una pirofila con la carta stagnola, trasferire gli spaghetti nel cartoccio con tutto il sugo, chiudere bene e completare la cottura in forno a 250° per 2 minuti. Si possono anche preparare 4 cartocci monoporzione.

FUSILLI CON CALAMARI E CARCIOFI

Pasta straveloce che vi risolve in un attimo la cena! Il segreto è avere dei calamari teneri e freschi come quelli che porta da Alessandria Davide Valsecchi, grande esperto di pesce, che mi ha consigliato questa ricetta.

Per 4 persone
- 350 g di fusilli bucati corti
- 3 calamari + 1 per decorazione (facoltativo)
- 3 carciofi
- vino bianco qb
- 2 cucchiai di olive taggiasche denocciolate
- prezzemolo qb
- olio extravergine
- sale

Pulire i carciofi, lessare le foglie esterne e tenere da parte l'acqua. Tagliare a fettine i cuori e cuocerli in padella con un filo d'olio e una presa di sale per 2-3 minuti. Aggiungere i calamari tagliati a striscioline, le olive e far cuocere per altri 2 minuti e sfumare col vino. Nel frattempo lessare la pasta, scolarla al dente e ripassarla nel sugo, aggiungendo se necessario un po' d'acqua di cottura dei carciofi e del prezzemolo tritato.

Per fare scena, tenete da parte un calamaro intero, incidetelo sulla superficie con dei tagli obliqui e cuocetelo con il resto.
Lo servirete a completamento del piatto di portata.

PENNE ALLA GRICIA CON RICOTTA

Questa golosissima rivisitazione della pasta alla gricia non è certo una mia invenzione. L'ho assaggiata nel ristorante di Anna Dente a San Cesareo, alle porte di Roma, un vero tempio della cucina popolare romana. Certo, Anna utilizza prodotti del territorio davvero speçiali, ma vi assicuro che anche con la ricotta del supermercato e il pecorino confezionato verrà altrettanto deliziosa. Anna, se leggi non ti arrabbiare!

Per 4 persone
- 350 g di mezze penne
- 160 g di guanciale
- 125 g di ricotta
- pecorino qb
- olio extravergine
- sale

Mettere a cuocere le mezze penne e intanto rosolare in padella il guanciale a pezzetti con l'olio. Una volta pronta la pasta, scolarla e ripassarla in padella con il guanciale, farla insaporire, unire la ricotta continuando a mescolare e se necessario aggiungere acqua di cottura. A fuoco spento mantecare con il pecorino grattugiato.

PENNE INTEGRALI CON FIORI DI ZUCCA E ACCIUGHE

Altro che una banale pasta alle zucchine, qui troverete un'esplosione di sapori: dal limone frullato con l'acciuga alla mozzarella. Un piatto leggero e stuzzicante.

Per 4 persone
- 300 g di penne integrali
- 2 zucchine
- 1 mozzarella
- 4-5 fiori di zucca
- 4 filetti di acciughe sott'olio
- succo di 1 limone
- 1 spicchio d'aglio
- basilico qb
- olio extravergine
- sale

Frullare le acciughe insieme al succo di limone e a una manciata di foglie di basilico, poi unire 5 cucchiai d'olio e frullare ancora fino a ottenere una salsa omogenea. Eventualmente aggiungere altro olio. Affettare le zucchine e saltarle per pochi minuti in padella con un po' d'olio, aglio e sale, all'ultimo momento unire anche i fiori interi in modo che cuociano non più di 30 secondi. Tagliare la mozzarella a dadini. Cuocere la pasta e scolarla, quindi spadellarla nella padella delle zucchine, condire con la salsa di acciughe e, a fuoco spento, con i dadini di mozzarella. Mescolare e profumare con qualche foglia di basilico.

VELLUTATA BICOLORE CON GRISSINI DI PANE

Questa vellutata è un piatto squisitamente femminile. Al centro della crema di carote, infatti, bisogna disegnare un piccolo cuore con la salsa rosa fatta di barbabietola! Un'idea che farà impazzire anche i più piccoli. E i grissini, velocissimi e pratici, sono fatti con il pane per tramezzini tostato e si possono servire in mille occasioni.

Per 4 persone
- 300 g di carote
- 60 g di barbabietola precotta
- 40 g di burro
- 40 g di farina
- brodo vegetale qb
- erba cipollina qb
- sale

Per i grissini
- pane per tramezzini qb
- burro qb

Sciogliere il burro in un tegame, aggiungere la farina e fare tostare, come per la base di una besciamella. Unire le carote tagliate a rondelle, mescolare e versare a poco a poco il brodo vegetale (ottenuto mescolando l'acqua calda con il dado e un po' di sale): deve risultare a filo delle verdure. Salare ulteriormente la zuppa se necessario e lasciar cuocere fino a che le carote non sono morbide.

Prendere un po' di brodo, metterlo nel frullatore insieme alla barbabietola e frullare fino a ottenere una crema. A parte frullare anche la zuppa di carote.

Per i grissini spalmare il pane con burro fuso, stenderlo con il mattarello e tagliarlo a strisce o quadratini utilizzando la rotella per i ravioli in modo da creare un motivo gradevole. Sistemare i grissini su una teglia e tostarli per pochi minuti sotto il grill del forno. Decorare la vellutata di carote con la crema di barbabietola, l'erba cipollina e servirla con i grissini.

I grissini di pane sono perfetti per ogni aperitivo.

CRUDAIOLA

*In tanti anni di ricette non avevo mai suggerito la pasta alla crudaiola con pomodoro
e grana, eppure, ora che ci penso... quante cene mi ha salvato!*

Per 4 persone
- 350 g di mezze maniche
- 10 pomodorini
- 50-70 g di grana
- olive taggiasche
  denocciolate
  (facoltative)
- 1 manciata di foglie
  di basilico
- olio extravergine
- sale

Mettere a lessare le mezze maniche. Intanto tagliare i pomodorini
a metà e frullarli con il grana a pezzi, un po' d'olio, basilico e sale;
deve avere la consistenza di una salsa al pomodoro. Una volta
pronta la pasta, condirla con il sugo, aggiungendo se gradite
anche qualche manciata di olive.

QUADRUCCI AI PISELLI

*Ecco un altro piatto della tradizione romana che arriva dalla cucina di Anna Dente
a San Cesareo. Questa volta si tratta di una minestrina, saporitissima, che ha fatto
letteralmente impazzire i miei bambini. Occhio al pecorino: ai miei figli piace, magari
però qualche bimbo preferirà il grana.*

Per 4 persone
- 250 g di quadrucci
- 200 g di piselli surgelati
- 160 g di pancetta dolce
  a dadini
- 2 cucchiai di passata
  di pomodoro
- timo qb
- pecorino qb
- 150 g di misto
  per soffritto surgelato
- olio extravergine
- sale e pepe

Soffriggere il misto per soffritto con l'olio in un tegame dai
bordi alti, unire la pancetta e cuocere per 1-2 minuti prima di
aggiungere i piselli. Allungare con circa 750 ml d'acqua calda e la
passata di pomodoro, portare a bollore, quindi unire la pasta e far
cuocere il tutto. Una volta pronta la zuppa, completare con timo e
pecorino grattugiato. Se necessario, salare e pepare, poi servire.

SPAGHETTI INFILZATI

Una ciccionata me la concedete? Le "ciccionate" sono le ricette un po' disinvolte di Francesco Fragomeni, in arte Cisco. Tra i tanti piattini golosi e un po' folli che prepara, questa pasta con i würstel mi ha proprio conquistato, tanto che l'ho riproposta molte volte ai miei bambini facendomi aiutare da loro nell'operazione più divertente: infilzare gli spaghetti crudi nelle rondelle di würstel.

Per 4 persone
- 300 g di spaghetti
- 1 confezione di würstel
- 500 g di passata di pomodoro
- ½ cipolla
- ketchup qb
- basilico qb
- olio extravergine
- sale

Tagliare i würstel a fette spesse circa 2 cm e, con pazienza, infilare in ciascuna rondella 5 o 6 spaghetti, posizionando a metà il tocchetto di würstel. Cuocere normalmente, in abbondante acqua salata, gli spaghetti così preparati. Intanto cucinare il sugo: soffriggere l'olio con la cipolla tritata, unire la passata di pomodoro e aggiustare di sale. Scolare la pasta, condirla con il sugo e una foglia di basilico. Per fare una vera "ciccionata" aggiungere in ogni piatto una spruzzata di ketchup.

Mi raccomando: non affettate i würstel troppo sottili perché altrimenti in cottura si romperanno.

LINGUINE AGLIO, OLIO E LIMONE

Chi lo dice che i grandi chef non usano la panna? Se utilizzata in maniera oculata può dare una marcia in più al piatto, come mi ha insegnato Matteo Torretta, chef di Al V piano di Milano.

Per 4 persone
- 350 g di linguine
- 2 peperoncini
- 2 spicchi d'aglio
- prezzemolo qb
- olio extravergine
- sale

Per la riduzione
- 400 ml di panna fresca
- 1 bustina di zafferano
- succo di 1 limone

Per completare
- 50 g di pangrattato
- scorza di 1 limone non trattato
- 50 g di grana

Lessare le linguine per circa 7-8-minuti. Intanto tagliare a fettine sottilissime l'aglio e insaporirlo in padella con olio e peperoncino sminuzzato. Far dorare leggermente, scolare la pasta molto al dente e finire di cuocerla nella padella con l'aglio, mezzo bicchiere d'acqua di cottura e un po' di prezzemolo tritato, come se fosse un risotto. Scaldare in un pentolino panna, zafferano e succo limone e lasciar cuocere per 5 minuti circa, quindi salare. Aggiungere alla pasta il pangrattato, il grana grattugiato e la scorza di limone grattugiata e mescolare ancora. Mettere in ciascun piatto una base di salsa allo zafferano e impiattare sopra le linguine.

VELLUTATA DI ASPARAGI CON PANNA ACIDA

Le vellutate sono tutte buone, alcune però sono più sfiziose di altre. Dipende dal tocco speciale che volete dare al vostro piatto. Gli asparagi si sposano perfettamente con le uova, ma provateli anche con la panna acida e sentirete che bontà!

Per 4 persone
- 1 kg di asparagi
- 2 patate
- 1 cipolla
- 1 tuorlo
- brodo di carne granulare qb
- sale e pepe

Per la crème fraîche
- 120 ml di panna fresca
- succo di 1 limone

Fare a pezzetti la cipolla e a tocchetti gli asparagi. Tagliare anche le patate, riunire in una casseruola tutte le verdure, coprirle d'acqua un dito sopra la superficie, aggiungere il brodo granulare e portare a bollore. Intanto preparare la crème fraîche mescolando alla panna il succo di limone e lasciarla riposare il tempo in cui cuocerà la vellutata in modo da rendere la crema più densa. Frullare la zuppa di verdure, eliminando se necessario un po' di brodo in eccesso. Finché è ancora bollente, aggiungere un tuorlo mescolando vigorosamente e servire la vellutata con una cucchiaiata di crème fraîche e del pepe.

LASAGNE ALLE VERDURE E PESTO

A rendere speciali queste lasagne è il pesto, un tocco in più per moltissimi piatti.
Mi raccomando, cotture brevissime per le verdure: devono rimanere croccanti e di colore
vivace. Altrimenti le nostre lasagne sembreranno farcite di... minestrone!

Per 4 persone
- 1 confezione
  di lasagne pronte
- 2 zucchine
- 1 peperone
- 2 porri
- 2 carote
- 150 g di pesto
- 500 g di besciamella
- 100 g di grana
- latte qb
- olio extravergine
- sale e pepe

Tagliare a listarelle sottili le verdure e saltarle in padella con l'olio per 5 minuti circa, poi aggiustare di sale e pepe. Assemblare la lasagna: sporcare il fondo della teglia con un po' di besciamella, quindi distribuire un primo strato di lasagne e coprire con altra besciamella e le verdure, poi proseguire con qualche cucchiaio di pesto e grana grattugiato. Continuare alternando lasagna e condimento e concludere con il grana e un po' di latte sui 4 angoli della teglia. Cuocere in forno a 190° per 15-20 minuti.

Per un pesto "doc" frullate assieme 40 g di foglie di basilico, 15 g di pinoli, 1 spicchio di aglio, 20 g di grana, 15 g di pecorino romano, 70 ml di olio extravergine e un pizzico di sale.

PENNE CON BROCCOLI ARRIMINATI

Una ricetta super buona e molto siciliana. Traduciamo subito: i "broccoli" in realtà sono i nostri cavolfiori, mentre "arriminare" vuole dire mescolare. Infatti, questa pasta, che Giusi Battaglia mi ha insegnato a cucinare è un'esplosione di sapori mischiati insieme... ma parlarne non basta, bisogna assaggiarla.

Per 4 persone:
- 300 g di penne
- 1 cavolfiore
- 2-3 filetti di acciughe sott'olio
- 1 manciata di uva passa
- 1 manciata di pinoli
- 1 cucchiaino di concentrato di pomodoro
- 1 bustina di zafferano
- 3 cucchiai di grana grattugiato
- 3 cucchiai di pangrattato
- 1 cipolla
- 1 spicchio d'aglio
- olio extravergine
- sale

Dividere il cavolfiore a cimette e bollirlo in acqua salata. Preparare un trito di cipolla e aglio e soffriggere il tutto con l'olio. Aggiungere le acciughe e lasciare che si disfino in cottura molto dolcemente, poi unire l'uva passa e i pinoli, il concentrato di pomodoro e lo zafferano. Cuocere qualche minuto e poi aggiungere anche il cavolfiore mescolando bene sul fuoco per insaporire il tutto e schiacciando con la forchetta in modo che si disfi rendendo il sugo più omogeneo. Lessare le penne nell'acqua di cottura del cavolfiore, quindi unirle al condimento e mantecare con pochissimo grana. Nel frattempo tostare in una padella antiaderente il pangrattato fino a che non diventa brunito. Servire la pasta cospargendola con il pangrattato.

FONDUTA DI GRANA CON UOVO POCHÉ

Se volete fare colpo, questo è il vostro piatto. Affogati dentro a una fonduta di grana vellutata, leggera e golosissima, scoprirete saporitissimi funghi porcini e una sorpresa deliziosa: un uovo in camicia dal cuore morbido che si cuoce a parte utilizzando una tecnica davvero particolare. Mettetevi alla prova con questa ricetta che arriva da una grande chef, Cristina Bowerman, del ristorante Glass Hostaria a Roma.

Per 2 persone
- 300 g di funghi porcini
- 150 g di grana
- 500 ml di latte
- 50 g di burro
- 50 g di farina
- 2 uova
- 2 cucchiai di salsa di soia
- 1 spicchio d'aglio
- olio extravergine
- sale

Per la fonduta preparare la besciamella: sciogliere il burro in un pentolino, unire la farina e fare tostare per qualche minuto. Versare il latte freddo, miscelare e far bollire per 5 minuti mescolando sempre finché il composto non si addensa. Quando la besciamella è pronta, unire il grana grattugiato, il sale e frullare con il frullatore a immersione per amalgamare bene. Rivestire una ciotola con la pellicola per alimenti, mettere sul fondo la salsa di soia, sgusciare l'uovo nella ciotola e richiudere la pellicola formando un fagottino. Ripetere l'operazione con il secondo uovo e poi cuocerli in acqua bollente per qualche minuto. Intanto cuocere in padella i funghi affettati con un filo d'olio, l'aglio (da eliminare a fine cottura, mi raccomando) e sale. Togliere le uova dall'acqua, con delicatezza eliminare la pellicola, trasferire sempre delicatamente ogni uovo in un piatto fondo, unire una cucchiaiata di funghi e poi ricoprire con abbondante fonduta calda.

GUMBO

Il gumbo è una zuppa molto saporita originaria della Louisiana negli Stati Uniti. Si può cucinare con diversi tipi di pesce. Io ho scelto il granchio in scatola, i gamberoni e il merluzzo, ma voi potete utilizzare ciò che preferite. A seconda che lo prepariate più o meno denso, decidete se accompagnarlo con crostini di pane oppure riso bollito.

Per 4 persone
- 250 g di polpa
  di pomodoro
- 125 g di polpa
  di granchio in scatola
- 2 filetti di pesce bianco
  tipo merluzzo
- 2 gamberoni
- 75 g di sedano
- 75 g di cipolla
- 35 g di scalogno
- 20 g di farina
- 2 spicchi d'aglio
- succo di $\frac{1}{2}$ limone
- alloro qb
- timo qb
- prezzemolo qb
- pepe in grani qb
- olio di semi
- sale grosso

Scaldare l'olio di semi in una padella, unire la farina e fare tostare leggermente. Aggiungere il sedano tagliato a fettine, la cipolla e lo scalogno tritati, la polpa di pomodoro, l'aglio e il succo di limone. Una volta raggiunto il bollore, unire metà della polpa di granchio, 400 ml d'acqua, il pepe, l'alloro, il timo e il sale grosso. Far bollire il tutto per 15 minuti, quindi aggiungere il pesce bianco, il resto del granchio e i gamberoni. Portare a cottura per altri 5 o 10 minuti e servire spolverizzato con prezzemolo tritato.

Il gumbo si può preparare anche con la carne. Provatelo con il pollo o la salsiccia.

PANCOTTO SALENTINO

Uno squisitissimo piatto della tradizione povera pugliese che mi ricorda tanto la pappa al pomodoro toscana. Qui, però, invece dei pomodori ci sono le cime di rapa. Fede e Tinto, coppia fortissima di Radio 2, l'hanno rivisitato per me in chiave moderna dandogli una forma elegante e arricchendolo con l'aggiunta della burrata. Ma in ogni caso sarebbe squisito anche mangiato direttamente dalla pentola!

Per 4 persone
- 500 g di cime di rapa
- 4 fette di pane raffermo
- 100 g di fagioli cannellini precotti
- peperoncino qb
- 1 burrata
- 1 spicchio di aglio
- olio extravergine
- sale

Pulire le cime di rapa e sbollentarle in acqua salata, quindi scolarle tenendo un po' d'acqua di cottura da parte.

Tagliare il pane a tocchetti e insaporirlo in padella con l'aglio e abbondante olio, poi aggiungere i fagioli scolati. Versare nella padella del pane prima l'acqua di cottura delle cime e poi, dopo che si è impregnato bene, anche le cime. Salare, mescolare con cura in modo che gli ingredienti si amalgamino e completare con un po' di peperoncino. Servire il pancotto con un filo d'olio e la burrata.

Se si vuole presentare il piatto in maniera elegante, sistemare un mestolo di pan cotto in un coppapasta al centro del piatto, sfilarlo delicatamente e completare con una cucchiaiata di burrata.

VERMICELLI CON CREMA DI PECORINO E CARCIOFI

Quest'ottima ricetta mi arriva niente meno che da una ex velina, Federica Nargi, cuoca simpatica ed esperta! La particolarità sta nella crema al pecorino che deve essere servita sulla base del piatto e non mantecata al resto della pasta. Occhio a non scegliere un pecorino troppo stagionato, altrimenti questa salsina risulterà molto ma molto salata!

Per 4 persone
- 300 g di vermicelli
- 4 carciofi
- 100 g di pancetta dolce a dadini
- 100 g di pecorino non troppo salato
- 1/2 cipolla
- peperoncino qb
- olio extravergine
- olio di semi
- sale

Pulire i carciofi, tagliarli a fettine sottili e friggerli in abbondante olio di semi. Una volta cotti tenerli al caldo.

Soffriggere la cipolla tritata con l'olio extravergine, il peperoncino e la pancetta a dadini. Cuocere i vermicelli e nel frattempo preparare la crema di pecorino: in una ciotola mescolare il pecorino grattugiato e tanta acqua della pasta quanta ne basta per ottenere una cremina.

Scolare i vermicelli e saltarli nella padella con l'olio e la pancetta. Distribuire sul fondo del piatto un letto di crema di pecorino, aggiungere sopra la pasta condita e infine cospargerla con i carciofi fritti leggermente salati.

ZUPPA DI SALMONE

Amo molto i piatti dal sapore nordico e questa zuppa è davvero particolare e diversa dalle nostre preparazioni e vi stupirà per la sua bontà e la sua semplicità. A fine cottura nel brodo di pesce bisogna aggiungere la panna fresca. Provate e non vi pentirete!

Per 4 persone
- 500 g di salmone
- 100 ml di panna fresca
- 5 patate
- 2-3 carote
- 1 cipolla
- 2 foglie d'alloro
- aneto qb
- pane di segale qb
- dado di pesce qb
- sale

Tagliare a cubetti le patate e a rondelle le carote, metterle in una pentola e ricoprire con l'acqua. Unire la cipolla tritata, il dado, il sale e l'alloro e portare a bollore. Dopo 5 minuti di cottura delle verdure, aggiungere il salmone tagliato a tocchetti e far cuocere altri 10 minuti dal momento della ripresa del bollore. In ultimo unire la panna, lasciare sobbollire un minuto e completare con l'aneto. Servire con pane di segale.

Grazie al salmone e alla panna, questa zuppa è appetitosa sia d'inverno sia d'estate.

ORECCHIETTE AL POMOMASCARPONE

Anche quest'anno posso annoverare tra le mie ricette un piatto originale di Ugo Tognazzi, che fu oltre che un grandissimo attore, uno chef appassionato e pieno di inventiva. Il sugo di pomodoro con il mascarpone diventa burroso e goloso all'ennesima potenza. A ripristinare l'equilibrio ci pensa sul finale la ricotta salata. Un piatto da provare! Grazie a Gian Marco Tognazzi per la ricetta e in bocca al lupo per La Tognazza amata e il suo ottimo olio!

Per 4 persone
- 350 g di orecchiette
- 400 g di pomodori
  San Marzano
- 100 g di mascarpone
- 1 cucchiaio di
  concentrato di pomodoro
- 1 cipolla
- 1 spicchio d'aglio
- ricotta salata qb
- peperoncino qb
- olio extravergine
- sale

Affettare la cipolla e lasciarla imbiondire nell'olio. Aggiungere i pomodori spezzettati, l'aglio, il concentrato di pomodoro e fare cuocere per una decina di minuti. Salare, frullare il sugo, aggiungere il mascarpone e rimettere sul fuoco. Nel frattempo cuocere le orecchiette e, una volta scolate, ripassarle nel sugo completando con la ricotta salata grattugiata e il peperoncino.

TORTIGLIONI AL RAGÙ DI BROCCOLI E SALSICCIA

Un sugo superbo per una pasta siciliana leggermente rivisitata da Francesco Scarpula, ottimo chef che ha cucinato per me una cena deliziosa. La cosa speciale di questo sugo è che i broccoli si disfano in cottura e la salsa di biete rende il tutto ancora più verde e saporito.

Per 4 persone
- 300 g di tortiglioni
- 200 g di salsiccia
- 1 mazzo di biete
- 1 broccolo
- 1 porro
- 100 g di pinoli
- 100 g di pangrattato
- 2 spicchi d'aglio
- olio extravergine
- sale

Mettere a cuocere la pasta. Togliere il budello (cioè la pellicina trasparente) alla salsiccia e rosolarla in una padella antiaderente senza condimento fino a sbriciolarla del tutto. Cuocere il broccolo in acqua bollente salata. A parte, in una grande padella soffriggere il porro tritato con un po' d'olio. Tagliare il broccolo lessato, unirlo in padella con il porro e schiacciare bene con la forchetta in modo che si trasformi in una purea, poi aggiungere anche la salsiccia. Tostare i pinoli con il pangrattato, l'aglio e un filo d'olio in una padellina. Sbollentare le biete e frullarle con acqua fredda e un po' d'olio fino a ottenere una salsa abbastanza liquida, quindi regolare di sale. Una volta pronta la pasta, scolarla e saltarla in padella con il ragù di broccoli per farla insaporire, poi a fuoco spento unire la crema di biete e completare con il pangrattato e i pinoli.

MARE E MONTI IN BRODO

Una zuppetta veloce e di gran scena che abbina i funghi alla rana pescatrice, un pesce polposo e saporito, perfetto per questa preparazione.

Per 4 persone
- 400 g di rana pescatrice
- 20 g di porcini secchi
- 1 pomodoro pelato
- 1 l circa di brodo vegetale
- 150 g di misto
  per soffritto surgelato
- 1 spicchio d'aglio
- prezzemolo qb
- crostini di pane qb
- olio extravergine
- sale e pepe

Far dorare il soffritto surgelato con l'olio. Mettere in ammollo i funghi, tritarli e aggiungerli al soffritto, poi unire anche il pomodoro. Tagliare a pezzetti il pesce e aggiungerlo al resto degli ingredienti, salare e cuocere con il brodo per 10 minuti dal momento del bollore. Servire la zuppa con crostini di pane strofinati con aglio e cosparsa con prezzemolo tritato e pepe.

Se è la stagione giusta, provate a sostituire i funghi secchi con quelli freschi.

CELLENTANI CON MELANZANE E POMODORI SECCHI

Un primo goloso e un po' diverso. Le melanzane tagliate a cubetti piccolissimi cuociono in una padella, mentre la pasta, una volta pronta, non viene spadellata ma ributtata nella pentola calda dove, insieme agli altri ingredienti, deve essere mantecata come un risotto.

Per 4 persone
- 350 g di cellentani
- 200 g di pomodori secchi sott'olio
- 1 melanzana piccola
- 1 scalogno
- 1 bustina di zafferano
- grana qb
- olio extravergine
- sale e pepe

Soffriggere lo scalogno tritato con l'olio in padella. Aggiungere la melanzana tagliata a cubetti piccoli in modo che cuocia velocemente, farla saltare in padella per 2 minuti e aggiustare di sale e pepe. Abbassare la fiamma, bagnare con 2-3 cucchiai d'acqua, mescolare e coprire con il coperchio. Continuare la cottura così per altri 8 minuti, fino a che le melanzane non saranno tenere. Nel frattempo scolare i pomodori secchi dall'olio di conservazione e tagliarli a fettine sottili. Cuocere la pasta, scolarla al dente e poi rimetterla nella pentola calda dove aveva cotto, condirla con qualche cucchiaio d'olio dei pomodori secchi e mescolare bene. Versare lo zafferano in polvere, qualche cucchiaio d'acqua di cottura e mescolare ancora, infine aggiungere le melanzane cotte e i pomodori secchi. Servire con il grana grattugiato.

RISOTTO AL PESTO, FAGIOLINI E GAMBERI

Il bello dei risotti è che nascono per caso con ciò che si ha in casa. Quello dei gamberi coi fagiolini e il pesto è stato davvero un accostamento felice.

Per 4 persone
- 200 g di riso
- 180-200 g di fagiolini
- 6 gamberoni
- 1 cipolla
- vino bianco qb
- pesto qb
- olio extravergine e sale

Per la bisque
- testi e carapaci dei gamberoni
- 100 g di misto per soffritto surgelato
- 1 pomodoro
- prezzemolo qb
- olio extravergine

Preparare la bisque, cioè il brodo di crostacei: mettere in una pentola le teste e il carapace dei gamberoni con i gambi del prezzemolo, il soffritto, il pomodoro e un goccio d'olio. Rosolare per qualche minuto schiacciando bene le teste con il cucchiaio e poi coprire con circa 500 ml d'acqua e lasciare sobbollire. Per il risotto, imbiondire in una pentola la cipolla tritata con l'olio, unire il riso e tostarlo, quindi aggiungere il vino e lasciare che evapori per qualche minuto. Aggiungere i fagiolini crudi tagliati a pezzetti, proseguire la cottura aggiungendo di volta in volta la bisque, infine salare leggermente. Quando il risotto è cotto, unire le code dei gamberoni che dovranno cuocere appena un minuto, mantecare con il pesto e servire.

CUSCUS VERDE

Un piatto veloce e anche salutare, pieno di verdure e gamberi appetitosi. A casa nostra il cuscus è molto apprezzato. Lo si può condire come una pastasciutta, anche semplicemente con un po' di pesto e magari, al posto del pesce, qualche dadino di mozzarella. Insomma, basta un pizzico di fantasia e qualche avanzo in frigo e con il cuscus si riuscirà senz'altro a portare in tavola qualcosa di buono.

Per 4 persone
- 250 g di cuscus precotto
- 250 ml d'acqua
- 10 gamberi
- 5 asparagi
- 5 cimette di broccoli
- 2 cipollotti
- 1 zucchina
- 1 peperone verde
- brodo vegetale qb
- olio extravergine
- sale

Per il pesto
- 1 cucchiaio di pinoli
- 1 mazzo di basilico
- 75 ml circa d'olio extravergine
- sale

Far rinvenire il cuscus in acqua bollente mescolata a un goccio di brodo vegetale ottenuto con acqua e dado. Nel frattempo affettare i cipollotti, soffriggerli con l'olio in una padella e poi unire il resto delle verdure tagliate a pezzetti piccoli. Salare e fare cuocere circa 5 minuti a fuoco vivace, quindi spegnere e lasciare riposare col coperchio: il vapore completerà la cottura. Per il pesto, frullare insieme i pinoli con il basilico, il sale e l'olio. Sgusciare i gamberi e rosolarli in un'altra padella con un filo d'olio e un pizzico di sale. In ultimo sgranare il cuscus, metterlo nella pentola delle verdure, mescolare bene e aggiungere prima il pesto e poi i gamberi.

Come alternativa, provate a far rinvenire il cuscus in acqua e zafferano.

FRITTATELLE IN BRODO

La mia Eleonora è una vera patita delle uova e provo a proporgliele sempre in maniera diversa. In questo caso è stato divertente perché le frittatine ridotte a strisce sembrano delle tagliatelle e lei ci ha messo qualche secondo per riconoscere cosa fossero veramente. Le stesse frittatine si possono anche tagliare a quadratini così, soprattutto per i bambini, sarà più agevole mangiarle. La cosa importante è non presentare il piatto troppo brodoso.

Per 4 persone
- 6 uova
- 1 l di brodo
- 1 cucchiaio di concentrato di pomodoro
- prezzemolo qb
- grana qb
- 3 cucchiai d'olio extravergine (o burro)
- sale

Rompere le uova e mescolarle in una ciotola con del grana e un pizzico di sale. Preparare le frittatine versando una cucchiaiata di composto in una padellina antiaderente unta d'olio (o di burro). Cuocere le frittatine su entrambi i lati e continuare così fino a esaurimento del composto, quindi sovrapporle e tagliarle a strisce con un coltello come fossero delle tagliatelle. Portare a bollore in una pentola il brodo con il concentrato di pomodoro e aggiungere un cucchiaino di prezzemolo tritato. Unire le tagliatelle di frittata e continuare la cottura per pochissimo, il tempo necessario a farle scaldare. Servirle con un po' di grana.

SPAGHETTI ALLA VENTRESCA DI TONNO

Questa è una pasta al tonno davvero speciale perché prevede l'utilizzo della ventresca fresca. Il segreto che mi ha svelato Francesca Arata del Bacaro del Sambuco a Milano è di farla prima bollire con gli aromi e poi unirla agli altri ingredienti della spaghettata. Uno dei miei primi preferiti, in assoluto!

Per 4 persone
- 350 g di spaghetti

Per la marinata
- 300 g di ventresca di tonno
- 500 ml di vino bianco
- alloro qb
- menta qb
- pepe misto in grani qb
- sale grosso

Per il sugo
- 4 cipollotti
- 10 pomodorini datterini
- basilico e prezzemolo qb
- peperoncino qb
- 1 cucchiaio di olive taggiasche denocciolate
- ½ bicchiere di vino bianco
- olio extravergine e sale

Preparare la marinata mettendo a scaldare il vino con l'alloro, l'acqua, il sale grosso, la menta e il pepe e, quando bolle, aggiungere la ventresca e lessarla circa 10 minuti. Potete preparare la ventresca in anticipo e lasciarla raffreddare nella sua marinata, oppure cuocerla e unirla subito al sugo. Soffriggere in una padella con dell'olio i cipollotti, il basilico e il prezzemolo tritati e il peperoncino, aggiungere i pomodorini tagliati a metà, farli appassire e sfumare con il vino. Salare, unire le olive, scolare la ventresca dalla marinata, spezzettarla e aggiungerla al sugo. Cuocere la pasta e saltarla nel sugo completando con il prezzemolo tritato.

POTAGE PARMENTIER

Questa vellutata è un classico piatto francese dal gusto davvero eccezionale. Può essere servito a un pranzo elegante, ma piace tanto ai bambini ed è sano e nutriente. D'inverno lo propongo spesso a cena con i crostini e i miei figli lo adorano. Non dimenticate il tuorlo d'uovo, è quello che fa la differenza!

Per 4 persone
- 4 patate
- 1 porro
- brodo vegetale
- basilico qb
- 3-4 cucchiai di panna fresca
- 1 tuorlo
- crostini di pane qb
- olio extravergine
- sale

Stufare il porro tagliato a rondelle con l'olio. Aggiungere le patate, pelate e tagliate a tocchetti, coprire con il brodo vegetale (preparato con acqua e dado) e fare bollire fino a che le verdure non sono morbide. Una volta cotte, regolare di sale, unire il basilico e frullare il tutto. Completare con la panna, il tuorlo e frullare ancora. Servire con i crostini di pane.

Se preferite stare più leggeri, sostituite la panna con il latte.

RISOTTO SPINACI E TALEGGIO

Per ottenere un risotto strepitoso tritate finemente gli spinaci prima di cuocerli in modo da ottenere in cottura quasi una salsa verde che si mescolerà in maniera perfetta al formaggio cremoso e saporito.

Per 4 persone
- 350 g di riso
- 150 g di spinaci
- 1 cipolla
- brodo vegetale qb
- 80 g di taleggio
- 50 g di grana
- burro qb
- sale e pepe

Affettare la cipolla e soffriggerla nel burro, aggiungere il riso, farlo tostare e salare. Unire gli spinaci tritati finemente col coltello o nel frullatore, lasciare insaporire e poi cominciare a versare poco brodo (fatto con acqua e dado) per volta fino a portare a cottura. Spegnere il fuoco e mantecare con il taleggio tagliato a pezzetti, il grana grattugiato e il pepe.

CALAMARATA

Quando viene a trovarmi Francesca Arata, chef del Bacaro del Sambuco che è un delizioso ristorante nel cuore di Milano, è sempre una festa. Francesca, infatti, sa davvero trasmettere la sua grandissima passione per i primi e in poche mosse crea delle pastasciutte da urlo, ricchissime di colori e sapori, come questa meravigliosa calamarata che è assolutamente da provare.

Per 2 persone
- 120 g di pasta calamarata (oppure mezze maniche)
- 100 g di anelli di calamari
- 2 gamberi
- 2 scampi
- 2 capesante
- 5 pomodorini
- 5 pomodori secchi
- 2 pomodori pelati
- 1 cipolla
- 1 ciuffo di prezzemolo qb
- $^1/_2$ bicchiere di vino bianco
- 1 cucchiaio di capperi
- 1 cucchiaio di olive taggiasche denocciolate
- basilico qb
- peperoncino qb
- olio extravergine
- sale

Pulire i gamberi e gli scampi. Soffriggere nell'olio la cipolla e il prezzemolo tritati, aggiungere i gamberi, gli scampi e i calamari, aggiustare di sale, unire i pomodorini e cuocere per pochissimi minuti. Sfumare con il vino e insaporire con i capperi, le olive, i pomodori secchi e il basilico. Lasciare evaporare il vino per qualche minuto poi aggiungere il peperoncino e i pelati, schiacciandoli un po' con la forchetta e cuocere altri 4 o 5 minuti. Nel frattempo lessare la pasta insieme alle capesante, scolarle e ripassarle nel sugo. Completare con il prezzemolo tritato e con un filo d'olio.

CANNELLONI AL RAGÙ BIANCO

I cannelloni sono il piatto della domenica per antonomasia e, dal momento che io la domenica a pranzo di solito non cucino, non li avevo quasi mai preparati. In effetti, nei giorni di festa noi ci concentriamo più sulla colazione con uova, bacon, pancake... e poi a pranzo saltiamo e tiriamo dritto fino a cena. Ma tornando ai cannelloni, capita che ogni tanto ci sia una pausa di campionato e che mio marito Fabio sia a casa con noi anche nel weekend e allora mi scateno. Questi cannelloni hanno avuto un grande successo e adesso i bambini la domenica me li chiedono anche a colazione!

Per 4 persone
- 1 confezione di cannelloni
- 500 g di besciamella
- 250 g di carne trita
  di manzo
- 100 g di prosciutto cotto
- 100 g di grana
- 1 bicchiere di vino bianco
- 1 uovo
- 1 cipolla
- 1 bicchiere di latte
- burro qb
- olio extravergine
- sale

Far soffriggere la cipolla tritata in poco olio, aggiungere la carne e rosolarla per qualche minuto. Tritare grossolanamente con il coltello il prosciutto e unire anche quello, quindi salare, sfumare con il vino bianco e proseguire la cottura per 15 minuti. Far raffreddare un po' il ragù e, mescolarlo con l'uovo, 4 cucchiai ben colmi di besciamella e la metà del grana grattugiato. Sporcare la teglia con altra besciamella. Bagnare i cannelloni in acqua calda per ammorbidirli, senza bisogno di farli bollire, quindi farcirli con il ragù. Io li posiziono verticalmente nella teglia e con un cucchiaio li riempio molto velocemente, in questo modo il ragù che fuoriesce resterà comunque nella teglia come condimento. Sistemare i cannelloni nella teglia, ricoprirli di besciamella, grana grattugiato e fiocchetti di burro. Bagnare i cannelloni con un bicchiere di latte in modo che in cottura rimangano morbidi e cuocere in forno a 180° per 20-30 minuti.

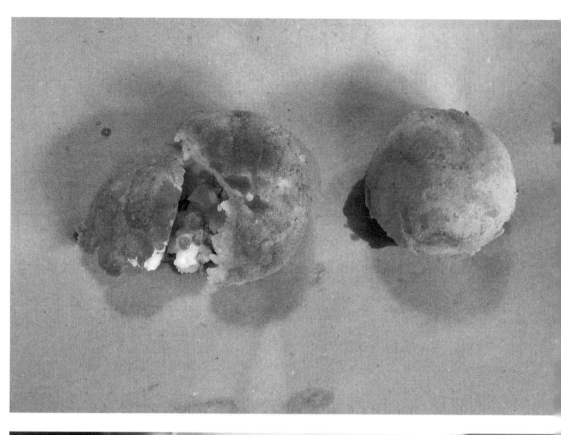

ARANCINE

*Arancini o arancine? Questo è il dilemma! In Sicilia queste deliziose crocchette di riso
sono al femminile, mentre al Nord sono al maschile. Chissà perché? Io davvero non lo so,
ma per lo meno ho imparato bene la differenza tra gli-le arancini-e e i supplì che invece
sono romani, maschili e ripieni di mozzarella. Grazie a Dario Bandiera il "cuoco" più
simpatico del mondo!*

Per 4 persone
- 250 g di risotto allo zafferano già raffreddato
- 100 g di prosciutto cotto
- 100 g di besciamella
- 80 g di scamorza bianca
- 50 g di piselli in scatola sgocciolati
- 100 g di farina
- 150 ml d'acqua
- pangrattato qb
- olio di semi

Per il ripieno, tagliare a cubetti la scamorza, mescolarla con il prosciutto tritato grossolanamente, i piselli e la besciamella e amalgamare bene il tutto. Prendere una porzione di risotto in mano, formare una conchetta, farcirla con una cucchiaiata di ripieno e poi chiudere il riso creando una palla, cioè l'arancina. Preparare la pastella mescolando acqua e farina, immergere prima le arancine nella pastella e poi impanarle nel pangrattato e friggerle nell'olio ben caldo.

LASAGNE AI PISTACCHI

*Ecco un'altra versione un po' insolita delle lasagne. Questa volta la parte cremosa
è data dallo squacquerone, vellutato e saporito, mentre la croccantezza è tutta merito
dei pistacchi!*

Per 4 persone
- 500 g di lasagne pronte
- 50 g di pistacchi
- 300 g di squacquerone
- 30 g di pecorino
- 1 mazzo di prezzemolo
- 100 g di prosciutto cotto
- 30 g di grana
- 1 ½ bicchiere di latte
- olio extravergine
- sale

Tritare i pistacchi con il pecorino grattugiato e il prezzemolo e amalgamare con un po' d'olio e mezzo bicchiere di latte in modo da ottenere un pesto, quindi regolare di sale. Tagliare il prosciutto a striscioline o acquistare direttamente i dadini di prosciutto già pronti. Frullare lo squacquerone a pezzetti con un bicchiere di latte e regolare di sale. Ungere d'olio una teglia da forno e comporre uno strato di lasagne, uno di crema allo squacquerone, qualche cucchiaiata di pesto di pistacchi e il prosciutto a striscioline. Continuare con gli strati fino a esaurimento degli ingredienti e in ultimo completare con altro prezzemolo tritato e grana grattugiato. Cuocere in forno a 200° per 20 minuti.

CIAMBELLA CALABRESE

Questa ciambella è una delle cose più golose che io abbia mai mangiato. È talmente ricca che l'associo subito ai mega banchetti di Asterix e Obelix o ai super hamburger di Poldo, l'amico di Braccio di Ferro. Ogni tanto in cucina bisogna anche un po' esagerare!

Per 4 persone
- 1 ciambella di pane
- 4 pomodori perini maturi
- 2 patate
- 2 peperoni piccoli
- 1 melanzana
- 1 ciuffo di basilico
- 1 cipollotto
- peperoncino qb
- olio extravergine
- sale

Tritare il cipollotto con il basilico e soffriggerlo con un filo d'olio in un tegame, poi unire i pomodori a pezzetti e cuocere a fuoco dolce per 15 minuti. Affettare le altre verdure e aggiungerle in padella ai pomodori proseguendo la cottura a fiamma dolce per altri 20 minuti, quindi insaporire con sale e peperoncino. Passare la ciambella nel forno caldo qualche minuto per renderla croccante. Tagliarla in senso orizzontale, scavare entrambe le metà privandole di una parte della mollica e riempire le mezze ciambelle con le verdure.

LASAGNE GAMBERI E SOGLIOLA

Mi sono inventata queste lasagne per il compleanno di mia figlia Eleonora che adora la pasta con il pesce. Il suo piatto preferito, infatti, è la pasta con le triglie. Ma visto che gliela cucino sempre, in occasione della sua festa ho provato a variare. Lei è molto golosa anche di lasagne, quelle classiche con il ragù, così ho fatto un mix: un successone!

Per 4 persone
- 1 confezione di lasagne pronte
- 500 ml circa di besciamella
- 100 g di misto per soffritto surgelato
- 10 gamberoni
- 4 filetti di sogliola
- 5 pomodorini
- 2 cucchiai di farina
- 1 cucchiaio di concentrato di pomodoro
- 1 spicchio d'aglio
- vino bianco qb
- grana qb
- olio extravergine
- sale

Sgusciare i gamberoni e rosolare le teste in un tegame con il misto per soffritto, un filo d'olio e la farina. Quando il tutto è ben tostato sfumare con un po' di vino bianco e aggiungere 2 bicchieri d'acqua calda e il concentrato di pomodoro. Fare cuocere per una decina di minuti circa fino a che non si sarà ottenuta una bisque non troppo liquida e molto saporita. Deve risultare una salsa che vela il cucchiaio. Rosolare in una padella la sogliola tagliata a pezzi e i gamberoni con un filo d'olio, i pomodorini tagliati a metà e lo spicchio d'aglio, salare e portare a cottura. Ci vorranno circa 5 minuti: la sogliola si deve rompere e dividere in tanti pezzettini come un ragù. Mescolare alcuni cucchiai di bisque con la besciamella in maniera da renderla più liquida e ben aromatizzata. Valutare, assaggiando, quanti cucchiai di bisque aggiungere, in maniera che la salsa sia saporita ma non esagerata. Comporre la lasagna con un po' di besciamella aromatizzata sul fondo della teglia, uno strato di lasagne, il pesce e poi ancora la besciamella, continuando così fino a esaurimento degli ingredienti. Se piace, sopra l'ultimo strato di besciamella aggiungere qualche cucchiaiata di bisque avanzata. Completare con una spolverizzata di grana grattugiato e cuocere in forno a 180° per circa 20 minuti.

CARAMELLE DI CRÊPES

Non sono tanto brava a fare le crêpes (una volta in trasmissione rigirandone una me la sono persino fatta cadere sui piedi), ma per questo piatto non devono essere perfette perché si richiudono a caramella. La farcia è deliziosa e si può preparare anche con gli spinaci.

Per 4 persone
Per le crêpes
- 250 ml di latte
- 2 uova
- 2 cucchiai colmi di farina
- 50 g di burro + qb
  per la padella
- sale

Per farcire
- 300 g di carciofi
- 100 g di ricotta
- 50 g di grana + qb
  per completare
- 1 spicchio d'aglio
- olio extravergine
- sale e pepe

Per le crêpes, in una ciotola mescolare la farina con le uova. Mettere il latte in un pentolino e a fuoco dolce scioglierci il burro, quindi unire questo composto a quello di farina e uova mescolando con una frusta, aggiustare di sale e fare riposare per 30 minuti. Nel frattempo preparare il ripieno: pulire i carciofi, tagliarli a spicchi e cuocerli in padella con olio, aglio, sale, pepe e mezzo bicchiere d'acqua. Quando sono morbidi, scartare l'aglio e frullarli con la ricotta e il grana, lasciando però qualche pezzettino di carciofo. Per cuocere le crêpes, scaldare una noce di burro in una padella antiaderente piccola, versare un mestolino di pastella e inclinare la padella in modo da formare una frittatina sottile. Farla dorare da ambo le parti, poi continuare con le altre, fino a esaurimento. Sistemare su ogni crêpe un cucchiaio di ripieno e chiudere a sacchetto con uno stuzzicadenti, dello spago o un filo di erba cipollina. Allineare le crêpes in una pirofila, irrorarle con una noce di burro fuso e cospargerle con abbondante grana grattugiato, quindi passare in forno già caldo a 200° per 7-8 minuti.

RISOTTO AI PEPERONI

Questo piatto trae in inganno. Usando i peperoni gialli vi sembrerà di servire un risotto allo zafferano, ma il sapore sarà una deliziosa sorpresa anche grazie al rosmarino tritato nel soffritto che fa davvero la differenza.

Per 4 persone
- 350 g di riso
- 2 peperoni gialli
- 1 cipolla
- 1 bicchiere di vino bianco
- brodo vegetale qb
- 1 rametto di rosmarino
- 50 g di pecorino
- 50 g di burro
- olio extravergine
- sale e pepe

Mettere i peperoni sulla placca del forno e farli arrostire a 200° per circa mezz'ora rigirandoli ogni tanto. Una volta ben abbrustoliti, lasciarli raffreddare nel forno chiuso e poi spellarli. Questa operazione si può fare anche il giorno prima. Quindi tagliarli a falde, tenerne 2 da parte e frullare le rimanenti, se necessario aggiungendo un goccio d'olio.
Tritare fine la cipolla con gli aghi di rosmarino, stufarla in una casseruola con 3 cucchiai d'olio e uno di brodo (fatto con acqua e dado), unire il riso e tostarlo nel condimento per 2-3 minuti. Sfumare con il vino e poi cuocere il riso bagnandolo con il brodo bollente fino a portarlo a cottura quasi completa. Tagliare a dadini le falde di peperone avanzate e unirle al risotto insieme alla purea, quindi regolare di sale e finire di cuocere. Spegnere il fuoco e mantecare con il pecorino grattugiato e il burro. Mescolare, profumare a piacere con una macinata di pepe e servire.

RISOTTO ALLE TRIGLIE

Questo squisito risotto è una rivisitazione semplificata di un piatto di Gordon Ramsay.
La sorpresa è che il sapore delle triglie marinate con lo zafferano è simile a quello dei gamberi!

Per 4 persone
- 300 g di riso
- 4 filetti di triglia
- 2 scalogni
- 1 bicchiere di vino bianco
- brodo vegetale qb
- mascarpone qb
- grana qb
- prezzemolo qb
- olio extravergine e sale

Per la salsa ai peperoni
- 1 peperone rosso
- 2 spicchi d'aglio
- 1 cucchiaio di aceto
- 2 cucchiai di vermut
- $1/2$ bicchiere di brodo vegetale
- olio extravergine
- sale e pepe

Per la marinata
- 4 filetti di triglia
- 2 bustine di zafferano
- olio extravergine

Mescolare lo zafferano con circa 5 cucchiai d'olio e lasciare i filetti di triglia a marinare in questo intingolo nel frigo. Per la salsa, scaldare l'olio in padella con l'aglio e il peperone a pezzetti mescolando a fuoco alto per 3-4 minuti, poi unire l'aceto di vino bianco e lasciare evaporare. Versare il vermut e fare evaporare nuovamente, poi aggiungere il brodo vegetale per ammorbidire bene i peperoni durante la cottura. Una volta cotti, eliminare l'aglio e frullarli insieme al loro sughetto. Regolare di sale e pepe. È il momento di preparare il risotto, nella maniera più classica: soffriggere nell'olio lo scalogno tritato, unire le triglie e rosolarle in maniera che si sfaldino, aggiungere il riso, farlo tostare e poi sfumare con il vino. Salare, portare a cottura con il brodo, infine mantecare con il mascarpone e il grana grattugiato. Scaldare molto bene una padella antiaderente, adagiarvi le triglie marinate dalla parte della pelle e farle rosolare su entrambi i lati a fuoco vivace in modo che abbrustoliscano: ci vorranno pochissimi minuti. Nel frattempo impiattare il risotto, servendolo con una cucchiaiata di salsa a parte e un filetto di triglia allo zafferano sopra. Completare con prezzemolo tritato.

VELLUTATA DI ZUCCA E CAPESANTE

Mi diverto a semplificare i piatti dei grandi chef e ottenere ottimi risultati. L'idea dei ravioli sulle
capesante è di Gordon Ramsay... io però uso quelli già pronti e risparmio un'ora di lavoro!

Per 4 persone
- 8 ravioli ai funghi
- 400 g di zucca
- 4 capesante
- 75 ml di panna fresca
- 2 scalogni
- brodo granulare vegetale qb
- burro qb
- olio extravergine
- sale e pepe

Togliere la buccia alla zucca e tagliarla a pezzetti. Soffriggere gli scalogni tritati in un po' d'olio per circa 5 minuti, finché non si ammorbidiscono senza dorarsi, poi aggiungere zucca, sale e pepe. Versare dell'acqua un dito sopra la zucca, unire il brodo granulare, i coralli delle capesante e lasciare cuocere fino a che la zucca non è morbida. Togliere dal fuoco, incorporare la panna e frullare fino a ottenere una vellutata. Tagliare ogni capasanta a metà in orizzontale ottenendo 2 dischi, ungerli d'olio e rosolarli a fuoco vivo fino a che non sono cotti, quindi salarli. A parte, in acqua bollente salata, lessare i ravioli e condirli con il burro. Impiattare un mestolo di vellutata in una fondina, nel centro 2 dischi di capesante e sopra un raviolo. Completare con pepe e servire.

PASTA AL FORNO RICCA

Questa ricetta arriva da Nicola Savino, più precisamente dalla sua famiglia. Si tratta di un piatto ricchissimo e di una bontà assoluta. Dentro c'è di tutto: ragù, sugo di pomodoro, polpette, melanzane... un vero trionfo di sapori. Dopo averla cucinata da me in trasmissione, ce la siamo letteralmente contesa, poi da buoni amici abbiamo deciso di spartircela equamente e ce la siamo portata a casa per cena. Un trionfo!

Per 4 persone
- 150 g di tortiglioni
- 750 g di passata di pomodoro
- 500 g di carne trita di manzo
- 1 fetta di carne di manzo
- 1 melanzana
- 1 mozzarella grossa
- 1 uovo
- 1 sedano
- 1 carota
- 1 cipolla
- pangrattato qb
- prezzemolo qb
- grana qb
- olio extravergine
- olio di semi
- sale

Per il sugo: soffriggere nell'olio extravergine il sedano, la carota e la cipolla tritati. Aggiungere la passata di pomodoro e la fetta di carne, salare e lasciare cuocere dolcemente per 30 minuti con il coperchio. Affettare la melanzana, friggerla in abbondante olio di semi bollente e scolarla su carta assorbente. Per le polpette: mescolare la carne trita con il prezzemolo tritato, il grana grattugiato, l'uovo e il pangrattato e preparare delle palline piccoline come le uova di quaglia. Nello stesso olio delle melanzane friggere le polpette e poi asciugarle su carta assorbente.

Cuocere la pasta, scolarla molto al dente e condire con parte del sugo eliminando prima la carne, che è servita solo per aromatizzare ma che si può mangiare a parte. Alternare in una pirofila strati di pasta con strati di sugo, polpette, mozzarella a dadini e melanzane. Completare con il grana grattugiato e cuocere a 180° per 45 minuti.

Se riuscite a tenerne un po' per il giorno dopo, sentirete che è ancora più buona!

CANNELLONI CON CREMA DI ZUCCA

*Questi cannelloni hanno subìto una crisi d'identità e credono di essere dei ravioli di zucca.
Voi assecondateli, assaggiateli lo stesso e scoprirete che forse sono anche meglio dell'originale! A
parte gli scherzi, la farcia di zucca, ricotta e grana si lega divinamente al lardo molto salato
e saporito che viene aggiunto prima della gratinatura. L'amaretto dà il tocco finale!*

Per 4 persone
- 12 cannelloni
- 500 g di polpa di zucca
- 100 g di ricotta
- 80 g di grana
- burro qb
- 100 g di lardo
- $^1/_2$ bicchiere di latte
  + qb per il ripieno
- 2-3 amaretti
- noce moscata qb
- timo qb
- sale e pepe

Tagliare la zucca a pezzi e cuocerli sulla placca del forno a 200°
per 20 minuti. Schiacciare con la forchetta in modo da ottenere
una purea, unire la ricotta, 50 g di grana e 4-5 cucchiai di latte,
insaporire con noce moscata, sale, pepe e mescolare.
Immergere per qualche secondo i cannelloni in acqua bollente
per ammorbidirli, farcirli con la crema di zucca e sistemarli su
un solo strato in una teglia da forno leggermente imburrata.
Ricoprire con il grana rimasto, bagnare con il latte, completare
con qualche fiocchetto di burro e infornare a 180° per 20-25
minuti. Poco prima del termine della cottura, tritare il lardo con
il timo, aggiungere gli amaretti sbriciolati e coprire con questo
battuto i cannelloni. Farli cuocere ancora qualche minuto in
modo che il lardo si sciolga e servire.

SFORMATO DI RISO E SALMONE

*Questo è il piatto perfetto per Fabio che ama sia il riso sia il salmone. In superficie è croccante
e dorato mentre l'interno è morbido e burroso grazie al salmone. Il tortino, poi, ha un aspetto
davvero bello e portarlo a tavola è una vera soddisfazione.*

Per 4 persone
- 350 g di riso
- 400 g di filetti di salmone
- 1 l di latte
- 80 g di burro
- 40 g di grana
- 2 uova
- 1 mazzetto di erbe
  aromatiche
- pangrattato qb
- sale e pepe

Tritare fini le erbe aromatiche. Intanto portare a ebollizione
il latte in una casseruola, salarlo leggermente e unire il riso.
Mescolare e cuocere a fiamma dolce finché tutto il latte non sarà
stato assorbito. Trasferire il riso in una terrina e condire con le
erbe tritate, una macinata di pepe e 60 g di burro, amalgamando
bene il tutto, quindi lasciare intiepidire. Incorporare al riso i tuorli
sbattuti, il grana grattugiato e gli albumi montati a neve con
un pizzico di sale. Tagliare il salmone a fette sottili. Spennellare
una pirofila con il burro rimasto, spolverare con il pangrattato,
distribuire sul fondo uno strato sottile di riso e ricoprirlo con
fettine di salmone, salarle e peparle leggermente. Ripetere gli
strati terminando con il riso, poi cuocere in forno a 220° per circa
20 minuti, fino a che non si formerà una crosticina dorata.

PIZZA DI POLENTA

Questa trovata sana e golosa può essere anche un buon modo per riutilizzare gli avanzi della polenta del giorno prima. Se in famiglia non amate i broccoli, potete usare altre verdure oppure optare per i più classici pomodoro e mozzarella.

Per 4 persone
- 250 g di farina
  per polenta istantanea
- 250 g di broccoli
- 300 g di passata
  di pomodoro
- 200 g di mozzarella
- 5 filetti di acciughe
  sott'olio
- olio extravergine
- sale e pepe

Versare la farina per polenta in abbondante acqua salata in ebollizione e portare a cottura come indicato sulla confezione. Trasferire la polenta in una teglia di 20 cm di diametro foderata con carta da forno e stenderla bene aiutandosi con il dorso di un cucchiaio e facendola risalire un poco sulle pareti in modo da formare una sorta di bordo rialzato. Sbollentare per pochissimi minuti i broccoli e scolarli al dente. Distribuire la passata di pomodoro sulla base di polenta, disporvi sopra i filetti di acciuga spezzettati, la mozzarella tagliata a fettine sottili e i broccoli. Cospargere con una macinata abbondante di pepe, condire il tutto con un filo d'olio e infornare a 200° per 15 minuti.

Un modo per far assaggiare
una "specie di pizza" anche a chi
è intollerante al glutine.

LASAGNE AI CARCIOFI E PROSCIUTTO DI PRAGA

Con le lasagne non si smette mai di sperimentare. Si può giocare con tantissimi sapori diversi. L'unico segreto è mantenere inalterata la cremosità tipica di questo piatto che non sempre dev'essere data dalla besciamella. A volte si può usare un formaggio morbido oppure, come in questo caso, il mascarpone.

Per 4 persone
- 1 confezione di lasagne pronte
- 5 carciofi
- 150 g di prosciutto di Praga
- 100 g di mascarpone
- 2 spicchi d'aglio
- 70 g di groviera
- $\frac{1}{2}$ bicchiere di latte
- maggiorana qb
- burro qb
- sale e pepe

Pulire i carciofi, tagliarli a spicchi e saltarli in un tegame con un po' di burro e con l'aglio, unire un mestolino d'acqua, sale, pepe e cuocere per 15 minuti. Una volta pronti, eliminare l'aglio, passare i carciofi al mixer con il mascarpone e profumare la crema ottenuta con le foglie di maggiorana. Tritare il prosciutto grossolanamente con il coltello. Comporre la lasagna in una teglia grande quanto una sfoglia, sporcando la base della teglia di crema ai carciofi e poi alternando una sfoglia di lasagna, crema di carciofi, prosciutto di Praga e groviera grattugiato. Terminare con uno strato di prosciutto e formaggio, completare con il latte versato nei 4 angoli della teglia e infornare a 220° per 15 minuti.

PIZZOCCHERI PRIMAVERILI

Questi sono pizzoccheri speciali perché, cucinati con i fagiolini invece che con la verza o con la bieta, possono essere proposti anche nella stagione calda. Grazie a Giorgio Rocca, campione anche in cucina!

Per 4 persone
- 400 g di farina di grano saraceno
- 150 g di farina 00 + qb per stendere
- 300 g di patate
- 150 g di fagiolini
- 200 g di formaggio casera
- 100 g di grana
- 100 g di burro
- 6 spicchi d'aglio
- sale

Impastare le farine con tanta acqua tiepida quanta serve per ottenere un impasto compatto. Stenderlo col mattarello in strisce larghe circa 4 dita e non troppo sottili aiutandosi con altra farina. Tagliarle con un coltello nel senso della larghezza, in modo da ricavare delle tagliatelle corte e spesse, simili a dei bastoncini. Cuocere i pizzoccheri insieme alle verdure tagliate a pezzetti in acqua bollente e salata. Sciogliere il burro in padella con l'aglio. Una volta scolati i pizzoccheri con le verdure, versare il tutto in una teglia da forno, condire con il casera a cubetti, il grana grattugiato e il burro fuso privato dell'aglio, quindi passarli sotto grill per qualche minuto.

GNOCCHI GIALLI AI POMODORINI

Come tante volte ho avuto modo di dire... adoro gli gnocchi! Mi piace cucinarli, ma soprattutto mi piace mangiarli. Da un po' di tempo a questa parte ho cominciato a unire all'impasto di patate anche una busta di zafferano. Il risultato è dolce e aromatizzato. perfetto anche cromaticamente da abbinare a un sugo di pomodorini.

Per 4 persone
Per gli gnocchi
- 500 g di patate
- 200 g di farina
- 1 bustina di zafferano
- sale

Per il sugo
- 15 pomodorini
- 1 spicchio d'aglio
- basilico qb
- olio extravergine
- sale

Lessare le patate con la buccia e una volta morbide schiacciarle con lo schiacciapatate. Mescolare la farina con lo zafferano e unire questa miscela alle patate, aggiungere anche il sale e impastare con le mani fino a formare un panetto. Dividerlo, formare dei rotolini e tagliarli in modo da ottenere dei cilindretti. Se l'impasto tende a essere appiccicoso, aggiungere farina. Per il sugo, scaldare in una padella l'olio con l'aglio. Tagliare i pomodorini a metà, unirli al soffritto facendoli saltare per pochi minuti con un po' di basilico e salare. Lessare gli gnocchi in acqua bollente e, quando vengono a galla, tirarli su delicatamente con la schiumarola e unirli al sugo. Cuocere tutto insieme pochi minuti in padella per far insaporire prima di servire.

TORRE DI CRÊPES AL PESTO

Sontuoso primo fatto con sottilissime crêpes, pesto, fagiolini e patate: 3 consistenze diverse per conquistare il palato a ogni boccone. Un'alternativa validissima alle classiche lasagne.

Per 4-6 persone
- 150 ml di latte
- 100 g di farina
- 2 uova
- 3 patate medie
- 250 g di fagiolini
- 500 g di besciamella
- 150 g di pesto
- 175 g di grana
- burro qb
- sale

Lessare le patate (intere e con la buccia) e i fagiolini separatamente, quindi sbucciare le patate, affettarle e tagliare i fagiolini a pezzetti. Per le crêpes, mescolare le uova con il latte, salare, aggiungere la farina e sbattere fino a ottenere un composto senza grumi. In una padella piccola unta di burro versare un mestolino di impasto, inclinare in modo da ricoprire tutta la superficie e cuocere dolcemente su entrambi i lati. Continuare fino a esaurimento dell'impasto. Comporre la torre di crêpes: rivestire una tortiera tonda con carta da forno unta con un po' di burro. Mescolare la besciamella con il pesto e sporcare la base della tortiera con questa crema, poi cominciare ad alternare uno strato di crêpe, uno di patate e fagiolini lessi e uno di crema di besciamella con pesto, fino a esaurimento degli ingredienti. Terminare con una bella spolverizzata di grana grattugiato e cuocere per mezz'ora in forno a 180°, tenendo coperto con la stagnola per i primi 20 minuti.

SPAGHETTI AL POMODORO BUONISSIMI

Alzi la mano chi non ama gli spaghetti al pomodoro! Sono il piatto più goloso e semplice che si possa trovare. Ce ne sono mille versioni: con il pomodoro fresco, con il peperoncino, con l'aglio... questa è la ricetta che ha cucinato per me Victoire Gouloubi dell'Incoronata di Milano. L'equilibrio degli ingredienti è perfetto. Mi raccomando spaghettini sottili e al dentissimo!

Per 4 persone
- 350 g di spaghetti
- 700 g di pomodori pelati
- 2 gambi di sedano bianco
- 2 carote baby
- 1 cipolla rossa
- 1 cipolla borettana
- basilico qb
- pepe bianco qb
- olio extravergine
- sale

Per il soffritto, tritare il sedano, la carota e le cipolle e far stufare dolcemente in un tegame con poco olio. Quando il soffritto risulterà molto morbido, aggiungere i pomodori pelati, condire con sale e pepe bianco e lasciare cuocere a fuoco basso per circa 50 minuti con il coperchio. Una volta che la salsa è pronta, passarla al passaverdure o con il frullatore elettrico. A parte cuocere la pasta, scolarla al dente e condirla nel tegame insieme alla salsa, a fuoco spento, aggiungendo il basilico e un filo d'olio a crudo.

Per un impiattamento come quello nella foto, arrotolate gli spaghetti intorno a un forchettone aiutandovi con un mestolo per dare la forma, poi adagiate delicatamente la pasta sul piatto.

PIZZA BOMBA

Questo è stato un colpo di fulmine. L'ho "incontrata" la prima volta in un bar di Riccione... era lì sul bancone che mi guardava, golosa e soffice! E io l'ho subito ribattezzata "pizza bomba" perché è molto alta e soffice, è farcita al suo interno come un toast, cioè con prosciutto e formaggio filante, e sopra è condita come una pizza margherita normale, quindi con pomodoro e mozzarella. Prepararla a casa non è difficile, manderete tutti in visibilio!

Per 4 persone
Per l'impasto
- 500 g di farina
- 300 ml d'acqua
- ¹/₂ panetto di lievito di birra o ¹/₂ bustina di lievito di birra disidratato
- 1 cucchiaino di zucchero
- 3 cucchiaini di sale

Per condire
- 4 sottilette
- 3 fette di prosciutto cotto
- passata di pomodoro qb
- mozzarella qb
- basilico qb
- olio extravergine
- sale

Mescolare la farina, il sale e lo zucchero, sciogliere il lievito in un po' d'acqua tiepida e unirla alla farina. Aggiungere il resto dell'acqua e cominciare a mescolare prima con un cucchiaio di legno e poi con le mani fino a ottenere un panetto morbido e omogeneo. Impastare per 10 minuti, quindi lasciare coperto con un canovaccio almeno 40 minuti, o comunque finché il volume della pasta non sarà raddoppiato. Una volta lievitato dividere l'impasto a metà e stenderne una parte in una tortiera da 22-25 cm rivestita di carta da forno. Coprire con 2 sottilette a pezzi, uno strato di prosciutto cotto e altre 2 sottilette. Stendere l'altra metà dell'impasto sulla farcia come un grosso panino, sigillare i bordi e farcire la parte superiore della pizza come una classica margherita, con la passata di pomodoro, un filo d'olio e sale. Cuocere in forno ventilato a 220° per 15 minuti, poi aggiungere la mozzarella tagliata a dadini e continuare la cottura per altri 5 minuti. Servire con qualche foglia di basilico a completare.

VELLUTATA AL SEDANO E GORGONZOLA

Una vellutata davvero poco convenzionale, nella quale si mescolano yogurt e gorgonzola piccante. Non pesante, ma decisissima nel gusto.

Per 4 persone
- 80 g di gorgonzola piccante
- 1 cespo di sedano
- 1 patata
- 1 cipolla
- brodo vegetale qb
- 1-2 cucchiai di yogurt greco
- 3 fette di pane
- gherigli di noci qb
- 30 g di burro
- sale e pepe

Tagliare a pezzi la cipolla e il sedano, sbucciare la patata e farla a dadini. Mettere a insaporire il tutto in una casseruola con il burro, poi coprire con il brodo (fatto con acqua calda e dado), portare a bollore e cuocere per 30 minuti con il coperchio. Frullare tre quarti delle verdure e riunire la crema nella casseruola con il resto della zuppa non frullata, salare e pepare. Fuori dal fuoco, unire alla zuppa lo yogurt e 50 g di gorgonzola piccante sbriciolato. Tostare in padella o nel tostapane il pane e frullarlo nel mixer con le noci. Servire la zuppa con dadini del gorgonzola tenuto da parte e con il crumble di noci e pane tostato.

SECONDI

SFUMATO DI PESCE ALLO CHENIN BLANC

Tutto quello che mio fratello decide di fare, lo fa bene. Così anche quando l'ultima volta mi ha proposto una sua ricetta mi ha lasciato a bocca aperta con questa trovata a metà strada tra un carpaccio e una pietanza cotta. Facile da preparare, di grande impatto e, cosa ancora più importante, buonissima! Dopo aver testato il suo piatto, mettete alla prova mio fratello anche come scrittore. Se non l'avete ancora fatto... leggete la Trilogia di Scheggia!

Per 4 persone
- 150 g di carpaccio di tonno, 150 g di carpaccio di salmone e 150 g di carpaccio di pesce spada (precedentemente abbattuti di temperatura)
- 2 bicchieri di vino bianco
- 1 mazzetto di erbe aromatiche (rosmarino, salvia, prezzemolo, alloro, timo)
- 1 spicchio d'aglio
- 1 limone non trattato
- 1 peperoncino
- olio extravergine
- sale e pepe

In un piatto da portata dai bordi un po' alti, sistemare le fette di carpaccio in un solo strato e condire leggermente con sale e pepe. Tritare grossolanamente le erbe aromatiche, il peperoncino e tagliare 3 fette di limone. Soffriggere molto dolcemente le erbe aromatiche, l'aglio, il peperoncino e le fette di limone in padella con un po' d'olio, aggiungere il vino bianco e lasciare bollire fino a che non si riduce della metà. Versare il liquido bollente sul pesce. Se vi piace crudo potete mangiare il pesce subito, altrimenti attendete qualche minuto in modo che il liquido caldo cuocia il carpaccio.

Non esagerate con il limone altrimenti la buccia renderà la salsa troppo amara.

HAMBURGER DI NASELLO

L'hamburger di pesce è un'alternativa golosa e salutare alla ricetta classica. Se lo preparate per i bambini magari evitate di farcirlo con la salsa ai cetriolini che di solito non sono molto amati dai più piccoli, anche se secondo me stanno benissimo in questa ricetta. Se siete a dieta, invece, mangiatevi solo l'hamburger senza il pane. Volendo, il nasello si può sostituire con il merluzzo.

Per 2 panini
- 250 g di nasello
- 2 panini da hamburger
- 20 g di pancarrè
  o pane avanzato
- prezzemolo qb
- 2 cucchiai di farina
- pomodori qb
- lattuga qb
- olio extravergine
- sale

Per la salsa
- 200 g di maionese
- 5 cetriolini
- 1 cucchiaiata di cipolline
  sott'aceto
- 1 cucchiaio
  di prezzemolo
- 2 cucchiai di senape

Ammollare il pane in cassetta con un po' d'acqua e frullarlo con il nasello, un ciuffetto di prezzemolo, la farina e un pizzico di sale. Formare 2 hamburger del diametro del panino e cuocerli in padella con un po' d'olio. Tagliare a fette i pomodori, salare e condire con un filo d'olio. Frullare nel mixer tutti gli ingredienti della salsa fino a ottenere una crema. Comporre il panino con l'hamburger di nasello, la salsa, il pomodoro e la lattuga.

PITBURGER

Una sera d'estate io, Fabio e i bambini abbiamo sfidato un temporale violentissimo che sembrava dirci dall'alto «Statevene a casa!» per andare a provare il pitburger. Che cos'è? Si tratta di una contaminazione tra l'hamburger e la piadina che hanno inventato a Rimini in un delizioso locale che si chiama Nud e Crud. Siamo arrivati fradici dopo una corsa tra i lampi e la pioggia, ma i nostri sforzi sono stati premiati: il pitburger è una vera bomba ed è facilmente replicabile anche a casa. Provate a stupire i vostri amici fanatici di fast food con questa prelibatezza.

Per 1 panino
- 1 hamburger di carne
  da 150-200 g
- 1 piadina
- 2 cucchiaiate
  di squacquerone
- 1 pomodoro
- rucola qb
- sale

Cuocere l'hamburger in padella con un filo d'olio e condirlo con il sale. A me piace al sangue. Una volta cotto lasciarlo riposare qualche minuto in padella a fuoco spento. Nel frattempo scaldare in un'altra padella la piadina velocemente su entrambi i lati. Affettare il pomodoro. Per comporre il pitburger, sistemare l'hamburger più o meno nel centro della piadina, spalmarlo abbondantemente di squacquerone, completare con un po' di rucola e qualche fetta di pomodoro. Salare e richiudere la piadina su 3 lati lasciando intravedere dalla parte aperta un po' di carne, come se fosse una tortilla ripiena di fajita.

MERLUZZO ALLA LIGURE

Quando si cucina il pesce non bisogna pasticciare troppo. Meglio evitare intingoli elaborati o cotture prolungate ed esaltare invece il sapore semplice del pesce e la leggerezza del piatto. Grazie a Davide Valsecchi, principe delle ricette semplici e sane!

Per 4 persone
- 400 g di filetti di merluzzo
- 2 zucchine
- 10 pomodorini
- 2 cucchiai di olive nere denocciolate
- 1 bicchiere di vino bianco
- prezzemolo qb
- 1 spicchio d'aglio
- olio extravergine
- sale

In una padella scottare il pesce con un filo d'olio, un paio di minuti per parte. Aggiungere le zucchine tagliate a rondelle sottili, così cuociono in fretta, l'aglio intero, i pomodorini tagliati a metà e le olive. Salare, sfumare con il vino e portare a cottura in circa 5 minuti, quindi completare con il prezzemolo tritato.

TOSTOVO

Il tostovo è un'invenzione pensata per mia figlia Eleonora che ama le uova e i toast, ma farà impazzire tutti i bambini perché è buono e molto carino. Bisogna praticare un buco in una fetta di pane e cuocerla in padella con un uovo in mezzo. Mi raccomando... non provate a rigirarlo!

Per 1 tostovo
- 1 fetta di pancarrè
- 1 uovo
- burro qb
- olio extravergine
- sale

Ritagliare un disco nella fetta di pane, farla dorare in padella con un po' di burro e olio su un lato. Rigirarla e sgusciarci dentro l'uovo delicatamente in modo che sia perfettamente contenuto all'interno del buco e che il rosso non si rompa. Cuocere a fuoco dolce con il coperchio fino a che l'uovo non è pronto e il pane ben tostato. Salare e servire togliendolo dalla padella con una spatolina.

PANINO CON LA COTOLETTA

La risposta milanese al Pitburger che trovate a pagina xxx è il classico panino con la cotoletta. In questo caso però si tratta di una cotoletta speciale… simile a quella che si mangia a Bologna, arricchita con prosciutto e formaggio e poi gratinata al forno. Come resisterle? Se volete la ricetta precisa della cotoletta bolognese, la trovate proprio qua sotto.

Per 1 panino
- 1 fetta di fesa di vitello
- 1 fetta di prosciutto crudo
- 1 uovo
- 1 panino
- pangrattato qb
- grana qb
- pomodoro qb
- burro qb
- olio extravergine
- sale

Passare la carne nell'uovo sbattuto e poi nel pangrattato, infine friggerla in burro e olio. Una volta pronta metterla in una teglia, coprirla con il prosciutto e il grana a scaglie e passarla un minuto sotto il grill. In ultimo adagiarla su una metà del panino, completare con qualche fetta di pomodoro, un po' di sale e richiudere con la seconda metà del panino.

COTOLETTA BOLOGNESE

Non conoscevo l'esistenza di questo tipo di cotoletta fino a quando Daniele Battaglia non è venuto a cucinare in trasmissione da me. Meglio la classica milanese oppure la versione bolognese? Non vi resta che provarle entrambe e poi esprimere il vostro giudizio.

Per 4 persone
- 400 g di fettine di fesa di vitello
- 100 g di prosciutto crudo
- 50 g di grana
- 3 uova
- pangrattato qb
- 1 bicchiere di passata di pomodoro
- brodo di carne qb
- burro qb
- olio extravergine
- sale

Passare la carne nelle uova sbattute e poi nel pangrattato. In una padella fare scaldare l'olio e il burro e friggere le fettine di vitello impanate finché non sono dorate. Salarle leggermente, sistemarle in una teglia da forno e adagiare su ciascuna una fettina di prosciutto crudo e delle scaglie di grana. Aggiungere sul fondo della teglia un po' di brodo (ottenuto con acqua e dado), poco più di un velo, distribuire sulla carne la salsa di pomodoro, un pizzico di sale, quindi passare in forno a 250° per 5 minuti. Le cotolette sono pronte quando il formaggio si è fuso e il fondo di cottura è stato assorbito.

PESCE IN CROSTA DI PAPAVERO

Piatto velocissimo e molto bello da vedere. Con questa stessa tecnica potete scegliere i tranci di pesce che vi piacciono di più e personalizzare la ricetta.

Per 4 persone
- 150 g di filetto di tonno
- 150 g di filetto di salmone
- 250 g di formaggio caprino
- 4 foglie di lattuga
- 2 pomodori
- basilico qb
- semi di papavero qb
- noce moscata qb
- olio extravergine
- sale e pepe

Sbollentare i pomodori, spellarli e frullarli nel vaso del mixer con l'olio, il basilico e il sale in modo da ottenere una salsa saporita. Mescolare il caprino con la noce moscata e il pepe. Ricavare dalle foglie di lattuga delle strisce lunghe tagliandole per il lungo ed eliminando la costa centrale. Spalmarle di formaggio e arrotolarle morbidamente su loro stesse in modo da formare delle rose. Tagliare i filetti di pesce a bastoncini, passarli nei semi di papavero, ungere leggermente la padella e cuocere un minuto per lato, servire il pesce con le roselline di lattuga e la salsa di pomodoro.

TARTARE CROCCANTE

Questa ricetta davvero semplice mi ha conquistato per la sua consistenza. I dadini di carne morbidissimi mescolati ai pezzetti di sedano croccanti rendono ogni boccone un'esperienza intensa e stuzzicante. Questa ricetta viene molto bene anche se al posto del filetto di manzo usate il tonno fresco, ma attenzione: il tonno crudo va tanto di moda ma se non viene abbattuto di temperatura (cioè portato velocemente a -20° grazie a un macchinario particolare che si chiama abbattitore) può essere pericoloso. Io per esempio compro il carpaccio o la tartare al supermercato dove il pesce ha già subito questo trattamento e poi lo preparo secondo il mio gusto. Non rischiate!

Per 1 persona
- 100 g di filetto di manzo
- 1 costa di sedano
- olio extravergine
- 1 cucchiaiata di pinoli
- sale

Tagliare il filetto a dadini piccolissimi, praticamente tritandolo al coltello. Procedere allo stesso modo anche con il sedano, mescolarli insieme e condire con olio e sale. Tostare i pinoli brevemente in padella senza aggiungere condimenti e unirli al resto degli ingredienti. Mettere il tutto in un coppapasta oppure dargli la forma di un hamburger usando le mani, accompagnare con un'insalatina e servire.

BOCCONCINI DI POLLO, RADICCHIO E ZOLA

Una sorta di spezzatino straveloce che risulterà cremoso e molto saporito. Grazie a Lucia Ocone per l'idea vincente e per le sue battute fulminanti!

Per 4 persone
- 1 petto di pollo
- 200 g di gorgonzola
- 2 cespi di radicchio
- $^1/_2$ bicchiere di vino bianco
- $^1/_2$ bicchiere di latte
- farina qb
- gherigli di noci qb
- olio extravergine
- sale

Tagliare a cubetti il petto di pollo, infarinarli e rosolarli in poco olio. Versare il vino, lasciarlo evaporare, poi unire il radicchio tagliato a striscioline e farlo appassire velocemente e salare. In ultimo aggiungere il gorgonzola tagliato a pezzetti e il latte e mescolare sul fuoco fino a che non si sarà creata una cremina. Se necessario aggiungere altro latte. Tritate le noci grossolanamente e servire il pollo cosparso con la granella ottenuta.

Se trovate che il gorgonzola abbia un gusto troppo forte, sostituitelo con lo stracchino.

CARTOCCI DI VITELLO

Idea pratica e veloce della mia amica giornalista Caterina Varvello. Se non amate i funghi o non piacciono ai bambini, potete sostituirli con qualsiasi altra verdura velocemente ripassata in padella.

Per 6 cartocci
- 6 fettine di vitello
- 6 fette di prosciutto cotto
- 150-200 g di porcini surgelati
- 100 g di stracchino
- 1 spicchio d'aglio
- farina qb
- vino bianco qb
- olio tartufato qb
- olio extravergine
- sale

Cuocere i funghi affettati in padella con l'olio e l'aglio, aggiustare di sale e poi sfumare con il vino bianco. Infarinare leggermente le fettine di carne, disporre ciascuna su un foglio di carta stagnola, farcire ogni cartoccio con una fetta di prosciutto, una cucchiaiata di funghi e una di stracchino. Completare con un filo d'olio tartufato, se gradito, richiudere i cartocci e infornarli a 180° per 10 minuti.

CRÊPES CON GRANCHIO E MASCARPONE

Una farcitura davvero originale per queste crêpes deliziose. Il mascarpone goloso e burroso è riequilibrato dall'aspro del limone e dal piccante del peperoncino. Il gusto speciale viene dal granchio.

Per 4 persone
Per le crêpes
- 275 ml di latte
- 125 g di farina
- 1 uovo
- olio extravergine
- 1 presa abbondante di sale

Per farcire
- 300 g di polpa di granchio bianca
- 150 g di mascarpone
- 4 cucchiai di erba cipollina
- 1 pizzico di peperoncino
- succo e scorza di 1 limone non trattato
- sale e pepe

Preparare il ripieno mescolando il mascarpone con metà dell'erba cipollina tagliuzzata e la polpa di granchio, aggiungere succo e scorza di limone, peperoncino, sale e pepe. Per la pastella, mescolare in una ciotola la farina e il sale e a parte sbattere il latte con l'uovo. Riunire i 2 composti e amalgamare con la frusta. Versare un mestolo d'impasto per volta in una padella unta con un filo d'olio e cuocere le crêpes un minuto per lato. Disporre al centro di ogni crêpe ben calda qualche cucchiaiata di crema di granchio e mascarpone, quindi ripiegarla. Guarnire con l'erba cipollina rimasta e uno spicchio di limone.

PADELLATA DI POLLO AI WÜRSTEL

Questo piatto è nato da un'emergenza: una sera mi sono accorta che non avevo abbastanza fettine di pollo per soddisfare tutta la famiglia per cena. In frigo però ho trovato una confezione di würstel e così ho deciso di mescolare gli ingredienti in una specie di spezzatino unendoci anche una patata lessa tagliata a dadini, perché altrimenti sarebbe stata comunque una portata scarsina per 5 persone. In alternativa potete servire la pietanza con un bel riso basmati. Se avete bambini a tavola, occhio alla senape: secondo me ci sta d'incanto ma magari a loro non piace.

Per 4 persone
- 1 petto di pollo
- 1 confezione di würstel grandi
- 250 g di riso basmati
- 1 cipollotto
- senape con grani qb
- vino bianco qb
- farina qb
- salvia qb
- rosmarino qb
- olio extravergine
- sale

Mettere a cuocere il riso in acqua bollente salata. Nel frattempo tagliare a striscioline il pollo e infarinarlo leggermente e i würstel a rondelle. Affettare il cipollotto e soffriggerlo in padella con l'olio, quindi unire il pollo e il würstel, facendo rosolare il tutto, salare e poi sfumare con il vino. Aggiungere gli aromi interi e infine qualche cucchiaiata di senape con grani, se gradita. Servire lo spezzatino di pollo e würstel con il riso basmati.

FILETTO DI PERSICO AL LARDO

Il lardo dà un gusto davvero speciale al pesce, lo rendere saporito, ricco e unico. Servito su un letto di piccole patatine croccanti il vostro semplice filetto di persico si trasformerà in un piatto da re.

Per 4 persone
- 800 g di pesce persico
- 2 patate
- 8 fettine di lardo
- 1 spicchio d'aglio
- rosmarino qb
- olio di semi
- sale e pepe

Tagliare il pesce ricavandone 8 filetti sottili, salarli e peparli leggermente, poi avvolgerli nelle fettine di lardo. Adagiare i filetti in una teglia foderata di carta da forno, aggiungere il rosmarino e infornare a 200° per circa 15 minuti. Se necessario, per dorare bene il lardo, passarli sotto il grill per altri 3 minuti. Nel frattempo, pelare le patate e tagliarle a fiammifero, sciacquarle e asciugarle per togliere l'amido in modo che non si appiccichino in cottura. Sbucciare l'aglio, soffriggerlo nell'olio per un minuto, toglierlo, unire le patate e cuocerle per 6-8 minuti a fiamma media avendo cura di mescolare spesso e rigirare le patate più volte con una paletta. Scolarle su carta assorbente e servire con sopra i filettini di pesce ben caldi.

BISTECCHE VELOCI CON PURÈ DI CANNELLINI

Il tempo che ci vuole per cucinare una semplice bistecca ai ferri e il tempo che occorre per preparare queste bistecchine aromatizzate al limone con purè di cannellini sono pressoché uguali. È solo questione di fantasia e di voglia di viziare un po' la propria famiglia!

Per 4 persone
- 4 braciole di maiale
- 450 g di fagioli cannellini in scatola
- 1 rametto di rosmarino
- 1 limone non trattato
- 1 spicchio d'aglio
- olio extravergine
- sale

Soffriggere in padella l'aglio con l'olio, unire il rosmarino e la scorza di limone grattugiata. Scolare i fagioli, sciacquarli sotto l'acqua corrente e aggiungerli al soffritto. Intanto cuocere la carne su una bistecchiera o in una padella antiaderente con un filo d'olio pochi minuti per lato, se no diventa dura. Spegnere i fagioli, schiacciarli con una forchetta in modo che diventino una purea un po' grossolana e aggiustare di sale. Una volta pronta la carne, sistemarla su un piatto da portata e salarla. Spremere il succo di limone nella stessa padella della carne, lasciarlo bollire con il fondo di cottura, quindi versare il sughetto sulle bistecche. Servire la carne con il purè.

Se volete un sapore più delicato, sostituite il maiale con il tacchino.

SCALOPPINE DI POLLO E BACON CON GNOCCHI FRITTI

Ecco un altro modo goloso per cucinare le classiche fettine di pollo. La pancetta affumicata dona loro un sapore intenso e irresistibile e il contorno è un'alternativa alle patatine fritte. Ebbene sì, per cambiare si possono anche friggere gli gnocchi di patate nell'olio bollente come se fossero patatine. Accompagnate il tutto con una velocissima fonduta di grana e il gioco è fatto.

Per 4 persone
- 4 scaloppine di pollo
- 4 fette di pancetta affumicata
- 250 g di gnocchi
- 100 ml di vino bianco
- rosmarino qb
- farina qb
- olio extravergine
- olio di semi

Per la fonduta
- 300 ml di latte
- 100 g di pecorino non troppo stagionato (o 50 g di grana e 50 g di pecorino)

Rosolare la pancetta affumicata in padella senza condimento finché non diventa croccante, quindi toglierla e metterla da parte avvolta nella stagnola. Infarinare le scaloppine e cuocerle nella stessa padella, se necessario aggiungendo un po' d'olio extravergine. Una volta ben rosolate, sistemarle su un piatto da portata e sbriciolare nella padella la pancetta tenuta da parte. Sfumare con il vino bianco, mescolando bene in modo che si amalgami col fondo di cottura, infine versare il sughetto sulle scaloppine di pollo. Per gli gnocchi, scaldare in padella abbondante olio di semi e quando è ben caldo friggere a immersione gli gnocchi, aggiungendo all'olio anche un po' di rosmarino per aromatizzare. Per la fonduta, scaldare in un pentolino il latte con il formaggio e mescolare. Servire le scaloppine con gli gnocchi fritti e la fonduta.

INVOLTINI DI PROSCIUTTO

Ho mangiato questi involtini a casa di Cristina una domenica a pranzo. La domenica è il giorno in cui mia sorella si mette ai fornelli e devo dire che i risultati sono notevoli. Con i primi la Cri non è molto originale perché mette in tavola quasi sempre la pasta al pomodoro, ma il secondo mi ha davvero stupito: involtini di prosciutto cotto ripieni di formaggio, poi impanati e fritti. Davvero ottimi e semplici da preparare. La cosa buffa è che mentre la loro mamma era ai fornelli, i miei tre nipoti si accalcavano intorno alla padella per prenotare i propri involtini, contrassegnandoli con uno stecchino!

Per 4 persone
- 8 fette di prosciutto cotto tagliate leggermente più spesse
- 50 g di fontina
- 2 uova
- pangrattato qb
- olio extravergine

Tagliare il formaggio a bastoncini lunghi e spessi come un dito e avvolgere attorno a ogni bastoncino una fetta di prosciutto per formare degli involtini. Risulteranno abbastanza lunghi e larghi. Ripassarli prima nell'uovo sbattuto, poi nel pangrattato e infine rosolarli in padella dolcemente con un po' d'olio, facendoli dorare su tutti i lati. Appena il formaggio accenna a fuoriuscire dall'involtino spegnere il fuoco e servire.

DADOLATA DI SPADA AGLI ASPARAGI

Questo spezzatino di asparagi e pesce spada è un piatto vincente per ogni occasione. Si prepara in pochi minuti, unisce secondo e contorno ed è buonissimo. Grazie a Davide Valsecchi.

Per 4 persone
- 500 g di pesce spada in tranci
- 1 mazzo di asparagi
- 1 scalogno
- vino bianco qb
- 4-5 pomodorini
- prezzemolo qb
- pepe bianco qb
- olio extravergine
- sale

Tagliare a pezzetti gli asparagi scartando solo la parte del gambo più dura e lessarli per 5 minuti in acqua salata. Tagliare a dadini i tranci di spada. Tritare lo scalogno e soffriggerlo in padella con l'olio. Unire gli asparagi lessati e il pesce spada e cuocere per qualche minuto, poi sfumare con il vino bianco, aggiungere i pomodorini tagliati a metà ed eventualmente un po' d'acqua di cottura degli asparagi. Cuocere altri 5 minuti, regolare di sale e completare con il prezzemolo tritato e il pepe.

POLLO SATAY CON PADELLATA DI VERDURE

Il satay è una preparazione indonesiana diffusa in tutto il Sudest asiatico. Quando si mangiano questi spiedini, si può davvero godere di un sapore esotico e particolare. Ai miei bambini piacciono molto, ma sono assai apprezzati anche dagli adulti. Per un piatto completo, meglio unire agli spiedini una bella padellata di verdure croccanti rese saporite dalla salsa di soia e dai germogli. Io ho scelto carote, broccoli e zucchine, voi usate quelle che preferite, basta che non le facciate bollire, ma le ripassiate in padella, alla maniera orientale appunto!

Per 2 persone
- 300 g di petto di pollo a dadini
- 125 ml di latte di cocco
- 3 cucchiai di salsa di soia
- 2 cucchiai colmi di burro di arachidi
- 1 cucchiaio di zucchero di canna
- zenzero grattugiato qb
- 1 cucchiaio d'olio extravergine

Per servire
- verdure miste (1 carota, 1 broccolo a cimette, 1 zucchina)
- 100 g di germogli di soia
- 4 cucchiai di salsa di soia
- olio extravergine

In un pentolino mescolare il latte di cocco, 2 cucchiai di salsa di soia, il burro di arachidi, lo zucchero di canna e lo zenzero e far sobbollire leggermente fino a ottenere una salsina densa. Preparare gli spiedini di pollo infilzando i dadini di carne in uno stecchino di legno e spennellarli con un po' d'olio e la salsa di soia rimasta mescolati insieme, quindi grigliarli sulla bistecchiera ben calda o in una padella antiaderente su tutti i lati. Durante la cottura spennellare gli spiedini con la salsina. Nel frattempo rosolare velocemente e a fuoco vivace nel wok con poco olio le verdure tagliate a bastoncini e i germogli. Va bene anche una padella antiaderente. Sfumare con la salsa di soia e servire gli spiedini con le verdure e la salsa di cocco avanzata.

CROCCHETTE DI PATATE CON FUNGHI

La prima volta che provai a fare le crocchette di patate me lo ricordo ancora. Un disastro. L'impasto mi venne mollissimo e quando lo passai nell'uovo si sciolse completamente!!! Devo dire che ne sono passati di anni dai tempi dell'università, quando sperimentavo le mie prime ricettine. Ora le crocchette di patate non mi fregano più! Ecco le dosi giuste. E per accompagnarle una semplice padellata di funghi trifolati.

Per 4 persone
- 500 g di patate lesse
- 100 g di grana
- 1 uovo
- farina qb
- olio di semi
- sale

Per i funghi
- 300 g di porcini surgelati
- 1 spicchio d'aglio
- prezzemolo qb
- olio extravergine e sale

Schiacciare le patate lesse nello schiacciapatate e mescolarle con il grana grattugiato, l'uovo e il sale. Formare con le mani delle crocchette, passarle nella farina e tuffarle nell'olio di semi bollente. Farle dorare, estrarle e adagiarle su carta assorbente. Per il contorno, saltare in padella i funghi con un filo d'olio e l'aglio, salare e completare con il prezzemolo tritato, facendo cuocere pochi minuti. Servire le polpette su un letto di funghi.

FIORI DI ZUCCA CON GAMBERI AL VAPORE

Questo piatto buonissimo dello chef Marc Farellacci del That's Vapore di Milano è un trionfo di leggerezza. Si tratta di fiori ripieni né di verdura né di formaggio, ma di gamberi tritati. Vengono poi cotti al vapore e circondati da tante verdure. Scegliete voi quelle che vi piacciono. Se non avete una vaporiera non ha importanza, al supermercato si possono acquistare dei semplicissimi cestelli di metallo che si adattano a qualsiasi pentola. Con un coperchio a misura, ecco fatta la vostra vaporiera!

Per 4 persone
- 12 gamberi
- 10 zucchine con il fiore
- erba cipollina qb
- 1 radice di zenzero
- olio extravergine
- sale

Per la salsa
- 1 carota
- 1 cipollotto
- 1 costa di sedano
- 1 pomodorino
- 4 teste di gambero
- olio extravergine

Per la salsa, tagliare a pezzi la carota, il cipollotto e il sedano e soffriggerli in padella con l'olio, il pomodorino e le teste di gambero schiacciate. Bagnare con 2 mestoli circa d'acqua e lasciare sobbollire per 5 minuti. Filtrare la salsa ottenuta attraverso un colino e mescolarla vigorosamente con qualche cucchiaio d'olio: servirà come guarnizione finale. Separare i fiori dalle zucchine. Pulire i gamberi e tagliarli a pezzetti con il coltello, quindi condirli con erba cipollina tagliuzzata, olio, sale e farcire con questo ripieno i fiori di zucca aiutandosi delicatamente con un cucchiaino. Mettere nella vaporiera le zucchine tagliate a bastoncino, eventualmente profumando l'acqua bollente con qualche fettina di radice di zenzero. Dopo 3 minuti di cottura aggiungere i fiori ripieni e, se si vuole, anche altre code di gamberi sgusciati. Cuocere ancora 2 minuti e servire i fiori di zucca e le verdure con la salsa.

ABBRACCI BOLLENTI

Se volete un secondo molto leggero ma altrettanto goloso, eccovi servito questo piattino bianco e rosa, preparato con un tenerissimo pesce al vapore, una vellutata crema di patate e un croccante fritto di carciofi.

Per 4 persone
- 400 g di filetto di salmone
- 4 filetti di branzino
- 1-2 patate lesse
- 1 bustina di zafferano
- 2 carciofi
- farina 00 qb
- farina di semola di grano duro qb
- latte qb
- olio di semi
- sale e pepe

Tagliare i filetti di pesce in modo da ottenere dei trancetti abbastanza sottili. Aromatizzarli con sale e pepe, quindi sovrapporli leggermente, arrotolarli creando una sorta di fiore e cuocerli a vapore. Intanto, frullare le patate lesse ancora calde con un po' d'acqua calda, il sale e lo zafferano. Se necessario, aggiungere del latte per ottenere una crema densa e vellutata. Scaldare l'olio in padella. Pulire e affettare sottili i carciofi, miscelare le 2 farine, infarinare i carciofi e friggerli.
Servire il pesce con la salsa di patate sul fondo del piatto e i carciofi croccanti attorno.

Potete aromatizzare l'acqua della vaporiera con alloro, sedano o aneto: otterrete un pesce più saporito.

MILLEFOGLIE DI SALMONE

Con poche mosse ecco pronta una torretta di melanzane e verdure davvero buonissima e molto elegante nella presentazione. Merito dello chef Moreno Ungaretti che l'ha realizzata durante una cena che abbiamo cucinato insieme. Se volete velocizzare la preparazione, potete saltare la salsina alla rucola e, se proprio avete fretta, anche la panure. L'aspetto sarà più casalingo ma il gusto burroso e goloso del salmone e della melanzana vi conquisterà comunque.

Per 4 persone
- 200-300 g di salmone
- 1 melanzana
- 3 pomodori
- 3-4 fette di pancarrè
- 1 mazzetto di rucola
- prezzemolo qb
- 1 spicchio d'aglio
- succo di $\frac{1}{2}$ limone
- salvia qb
- rosmarino qb
- olio extravergine
- sale

Lavare la melanzana, tagliarla a fette sottili e scottarla sulla griglia o in una padella antiaderente. Tritare finemente la salvia e il rosmarino, unire un po' di sale e mischiare il tutto. Per la salsina, spezzettare la rucola e metterla nel vaso del mixer, aggiungere mezzo bicchiere circa d'olio, il limone, il sale e, se la si vuole mantenere bella verde brillante, anche un po' di ghiaccio. Frullare il tutto fino a ottenere una salsa liquida e colorata. Su una teglia foderata di carta da forno preparare 4 torrette alternando una fetta di melanzana, una di salmone e un po' di trito d'erbe e sale, poi ripetere un'altra volta i 3 strati. Tritare nel mixer qualche fetta di pancarrè con il prezzemolo e se si vuole un po' d'aglio, un filo d'olio e una manciatina del trito di erbe e sale. Spolverare bene la millefoglie con questa panure aromatica e completare con un filo d'olio. Infornare a 200° per 8 minuti così da lasciare intatti i sapori senza cuocerli troppo. Quando è pronta toglierla dal forno e disporla su un piatto da portata decorando con l'emulsione di rucola e una dadolata di pomodoro.

NUGGETS

Quale bambino (ma anche adulto, in realtà) non stravede per le crocchette di pollo? Il problema di quelle comperate o mangiate nei fast food è che non sai mai che cosa ci sia veramente dentro. Cucinandoli a casa con poca fatica, invece, si può portare in tavola un piatto goloso e sano. P. S. Io li preparo anche con l'arrosto avanzato.

Per 4 persone
- 500 g di petto di pollo
- 100 g di grana
- 2 uova
- 2 cucchiai di prezzemolo
- 250 ml di acqua
- 200 g di farina
  + qb per infarinare
- pangrattato qb
- olio di semi
- olio extravergine
- sale e pepe

Cuocere le fette di pollo su una bistecchiera calda, 2 minuti per parte (una cottura più lunga renderebbe il pollo asciutto e stopposo). Poi tagliarle grossolanamente e frullarle fino a ottenere un composto fine e omogeneo. Trasferire l'impasto ottenuto in una ciotola e aggiungere il prezzemolo tritato, il grana grattugiato e le uova amalgamando tutti gli ingredienti. Aggiustare di sale e pepe. Con l'impasto ottenuto formare delle crocchette lunghe 5-6 cm circa e larghe 3 cm. Preparare la pastella mescolando acqua e farina, passare le crocchette prima nella farina poi nella pastella e infine nel pangrattato e friggerle in olio di semi fino a quando non risulteranno ben dorate.

POLPETTINE DI CARNE E MELANZANE

Questa è una super variante delle polpette tradizionali. La melanzana dona sapore e morbidezza, ma quasi non si riconosce. La mangeranno anche i bambini.

Per 4 persone
- 500 g di carne trita di vitello
- 1 melanzana
- 1 fetta di pancarrè
- 1 lattina di polpa di pomodoro
- 2 tuorli
- latte qb
- 2 spicchi d'aglio
- peperoncino qb
- prezzemolo qb
- curry qb
- semola di grano duro qb
- olio extravergine
- sale

Tagliare a metà la melanzana e incidere la polpa a griglia con un coltellino. Condire le 2 metà con l'olio, appoggiarle con il taglio rivolto verso il basso su una teglia coperta di carta da forno e infornare a 180° per 25-30 minuti. Una volta cotte lasciarle intiepidire. Nel frattempo preparare il sugo scaldando in un pentolino la polpa di pomodoro con l'aglio, il sale e il peperoncino, senza aggiunta d'olio, e lasciare cuocere dolcemente con il coperchio per 10 minuti e poi spegnere. Ammollare nel latte la fetta di pancarrè. Asportare con un cucchiaio la polpa della melanzana e tritarla col coltello o nel mixer, raccoglierla in una ciotola e amalgamarla con la carne, i tuorli e il pane strizzato. Completare con un ciuffetto di prezzemolo tritato, una spolverata di curry e sale. Formare delle polpettine, lavorando su un piano infarinato con la semola, e rosolarle in padella con l'olio finché non prendono un bel colore abbrustolito. Servire le polpettine di melanzane accompagnate con la salsa di pomodoro.

MERLUZZO IN UMIDO CON CUSCUS E VERDURE

Il cuscus è sempre un'alternativa valida da portare a tavola quando siamo stufi della solita pasta o del riso. Il vantaggio è che, essendo precotto, basta bagnarlo e lasciarlo rinvenire. Un'altra soluzione imbattibile per risolvere in un attimo la cena è il merluzzo a bastoncini che tengo sempre in freezer. Con questa formula vincente non vengo mai colta impreparata.

Per 4 persone
- 400 g di filetti di merluzzo
- 10 pomodorini
- 1 cipollotto
- concentrato di pomodoro qb
- olive taggiasche denocciolate qb
- 1 confezione di verdure miste surgelate
- 250 g di cuscus precotto
- 250 ml d'acqua
- 1 bustina di zafferano
- basilico qb
- mandorle tostate qb
- olio extravergine e sale

Preparare il cuscus: portare a bollore l'acqua in un pentolino, aggiungere lo zafferano e salare. Spegnere il fuoco, unire il cuscus, qualche cucchiaio d'olio e lasciare riposare. Affettare il cipollotto e soffriggerlo in padella con l'olio, quindi aggiungere i pomodorini, un cucchiaio di concentrato di pomodoro, una manciata di olive e, se necessario, un mestolo d'acqua tiepida. Unire il pesce a pezzi e cuocere una decina di minuti. Aggiustare di sale. Scottare in un'altra padella le verdure surgelate con un po' d'olio e sale e una volta pronte spegnere il fuoco. Sgranare il cuscus con la forchetta e unirlo al pesce nella padella insieme alle verdure cotte mescolando bene. Se il cuscus si fosse raffreddato, riaccendere brevemente il fuoco e riscaldarlo assieme alle verdure. Completare con una manciata di mandorle tritate, il basilico e servire sopra al cuscus.

MAIALINO CON MIELE E LARDO

Lo chef Giancarlo Polito mi ha insegnato un modo molto semplice ma davvero delizioso per cucinare il filetto di maiale. Il segreto è rosolarlo, glassarlo con una salsa deliziosa fatta di soia e miele, poi avvolgerlo nel lardo e completare la cottura in forno.

Per 4 persone
- 1 filetto di maialino di circa 600 g
- 1 spicchio d'aglio
- rosmarino qb
- miele qb
- salsa di soia qb
- 70 g di lardo a fette
- olio extravergine

Per il contorno
- 2 patate
- 250 g di cime di rapa
- 2 foglie d'alloro
- 1 spicchio d'aglio
- olio extravergine
- sale

Rosolare in una padella il filetto di maiale con l'aglio in camicia, il rosmarino e un po' d'olio. Mescolare in una ciotola 2 cucchiai di salsa di soia e 2 cucchiai di miele, togliere la carne dalla padella e spennellarla con questo composto. Avvolgere per bene il filetto con le fettine di lardo e cuocere 25 minuti in forno a 180°. Per il contorno, lessare le patate e rosolare le cime di rapa direttamente in padella con l'olio, l'aglio e l'alloro, senza prima sbollentarle. Salare. Servire la carne accompagnata dalle cime di rapa e le patate schiacciate semplicemente con la forchetta e condite con olio e sale.

SPIEDINI DI GAMBERI CON RISO BASMATI E PURÈ DI ZUCCA

Un piatto unico, perfetto per mantenersi in forma, non per niente l'ha cucinato per me Rossella Brescia! E poi gli spiedini impanati mi ricordano tanto le mie vacanze a Riccione... che buoni!

Per 4 persone
- 12 code di gambero
- 250 g di riso basmati
- 300 g di polpa di zucca
- ½ bicchiere di latte
- pangrattato qb
- grana qb
- scorza di limone non trattato qb
- 1 bustina di zafferano
- 1 cucchiaino di curry
- basilico qb
- olio extravergine
- sale

Mettere la zucca a pezzi condita con un goccio d'olio e di sale su una teglia rivestita di carta da forno e cuocere a 180° per circa 20 minuti. Lessare il riso in acqua salata. Nel frattempo preparare la panure per gli spiedini mescolando pangrattato, grana e scorza di limone grattugiati. Infilzare 3 gamberi in ogni spiedino, impanarli nella panure, disporli su una placca coperta di carta da forno, condirli con un filo d'olio e cuocerli a 200° per 7-8 minuti. Una volta pronto il riso, scolarlo, ripassarlo in padella con un po' d'olio, lo zafferano stemperato in un goccio d'acqua e il curry. Frullare la zucca con un cucchiaio d'olio, qualche foglia di basilico e il latte. Trasferire il riso in una ciotolina, premere bene, quindi sformarlo sul piatto da portata, capovolgendo la ciotola. Servire gli spiedini con il riso e la crema di zucca.

Se avete tempo, prima di cuocere gli spiedini di gamberi lasciateli riposare impanati in frigorifero anche per alcune ore. Risulteranno ancora più saporiti.

CORDON BLEU

Quando ho portato a tavola questo piatto ho ricevuto una vera ovazione! La carne panata ripiena di formaggio e prosciutto non ha bisogno di ulteriori commenti. È deliziosa. Io di solito preferisco usare il pollo invece del vitello che costa praticamente il doppio. Un'unica raccomandazione: cuocete i cordon bleu a fuoco dolce e abbastanza a lungo altrimenti saranno bruciati fuori e crudi dentro. Sarebbe un vero disastro, altro che ovazioni!

Per 4 persone
- 8 fettine di vitello o di petto di pollo abbastanza sottili
- 4 fette di prosciutto cotto
- 4 sottilette
- 1 uovo
- farina qb
- pangrattato qb
- olio di semi
- sale e pepe

Battere le fettine di carne per appiattirle un po', salarle e peparle leggermente. Ricoprirne 4 con il prosciutto e il formaggio facendo in modo che la farcia non fuoriesca. Chiuderle con le fette di carne rimaste a mo' di panino, quindi passarle prima nella farina premendo perché aderisca bene, poi nell'uovo sbattuto e infine nel pangrattato. Friggere i cordon bleu in una padella con olio ben caldo e a fuoco basso. La carne deve infatti avere il tempo di cuocere anche dentro senza che si bruci la panatura. Una volta che l'interno sarà cotto e il formaggio filante, servirli subito ben caldi.

TASCHE DI LONZA RIPIENE DI FETA

Ecco una carne ripiena con un gusto un po' diverso, perfetta per un secondo estivo. Il gusto leggermente acidulo della feta con le olive e i pomodorini secchi, infatti, dona a questo piatto una freschezza assolutamente da provare.

Per 4 persone
- 700 g di lonza di maiale
- 200 g di feta
- 3 cipollotti
- 1 bicchiere di vino bianco
- 1 cucchiaio di pomodori secchi sott'olio
- 1 cucchiaio di olive taggiasche denocciolate + qb per completare
- prezzemolo qb
- olio extravergine
- sale

Ricavare dalla lonza 4 o 5 fette spesse almeno 2 dita. Con un coltello, praticare un taglio nelle fette, formando una tasca laterale. Affettare i cipollotti e stufarli in una padella con un po' d'olio, per 5-6 minuti. Intanto tritare al coltello le olive e i pomodori secchi e mescolarli in una ciotola insieme alla feta sbriciolata e al prezzemolo tritato. Farcire la carne con il composto ottenuto. L'impasto sarà appiccicoso e per questo terrà chiuse le tasche di lonza senza bisogno di sigillarle con stecchini o spago. Trasferire le fette di carne in padella con il cipollotto e farle rosolare aggiungendo qualche altra oliva. Sfumare con un po' di vino bianco, salare leggermente e lasciare cuocere ancora per 5-10 minuti, finché la feta non minaccia di fuoriuscire dalla tasca. Servire subito.

POLLO PIE, OVVERO POLLO AI FUNGHI NEL CESTINO

È una sorta di pollo in crosta, preparato in versione monodose e molto semplice. Avendo a che fare con uno spezzatino, è praticamente impossibile sbagliare la cottura. Infatti il problema principale di tutti i grossi arrosti "in crosta" è proprio quello di servire carni troppo crude o troppo cotte dal momento che la pasta sfoglia impedisce di controllare l'interno.

Per 4 persone

- 250 g di petto di pollo a fettine
- 1 rotolo di pasta sfoglia
- 3 fette di pancetta affumicata
- 100 g di funghi champignon o porcini (anche surgelati vanno benissimo)
- 25 g di farina
- 1 bicchiere di Marsala
- 1 bicchiere di brodo vegetale
- timo qb
- sale e pepe

In una padella soffriggere la pancetta a striscioline senza aggiunta di grassi, poi unire i funghi affettati e lasciarli cuocere, infine salare. Passare le fettine di pollo nella farina e nel timo e metterle nella padella insieme al resto. Rosolare leggermente poi sfumare con il Marsala e, se necessario, anche con un po' di brodo (fatto con acqua e dado) e far sobbollire per circa 5 minuti. Regolare di sale e pepe e lasciare intiepidire. Stendere la pasta sfoglia e ritagliarla in dischi della grandezza giusta per rivestire 4 stampini (si possono usare anche quelli in alluminio usa e getta), foderarli con la pasta sfoglia, riempirli con il composto di pollo e funghi insieme al sughino. Inumidire i bordi della sfoglia e sigillarli con un altro disco di pasta a mo' di coperchio. Infornare per circa 10-15 minuti a 200°.

MUMMIA AL FORNO PER HALLOWEEN

Adoro questo polpettone che riscuote sempre un successo clamoroso. Non è un caso, perché oltre ad avere un aspetto veramente scenografico è davvero buonissimo. Naturalmente è un piatto pensato ad hoc per Halloween! Ma se volete dargli una forma un po' più convenzionale (evitando magari gli occhi e le braccia conserte), lo potete servire con grande successo tutto l'anno.

Per 4-6 persone
- 1 kg di carne trita di manzo
- 3 uova
- 1 confezione di sottilette
- 10 cucchiai di grana grattugiato
- 2 cucchiai di pangrattato
- 1 cucchiaio di cipolla essiccata (facoltativo)
- olive nere denocciolate qb
- prezzemolo qb
- rosmarino qb
- sale

Preparare l'impasto del polpettone mescolando insieme la carne, le uova, il grana, il sale, il prezzemolo tritato, la cipolla essiccata e il pangrattato. Dare al polpettone la forma di una mummia, formando la testa e il corpo e creando con 2 rotolini d'impasto le braccia conserte sul petto. Sistemare il polpettone su una teglia coperta di carta da forno e cuocere a 180° per 30-40 minuti. Tagliare le sottilette a strisce e, una volta pronto il polpettone, sfornarlo e ricoprirlo con le fettine di formaggio come se fossero le bende della mummia. Tagliare un'oliva a rondelle e con queste fare gli occhi. Con il calore della carne le sottilette dovrebbero fondersi leggermente raggiungendo l'effetto desiderato. Se non si sciolgono abbastanza, rimettere il polpettone nel forno caldo ma spento per alcuni minuti facendo attenzione a non scioglierle troppo o coleranno. Guarnire con un rametto di rosmarino.

ANELLO DI POLENTA CON SALSICCE

Polenta e salsicce è un'accoppiata assolutamente vincente. Non c'è niente di meglio per riscaldare una fredda serata invernale. Questa ricetta offre un'idea in più per un impiattamento sfizioso.

Per 4 persone
- 400 g di salsicce
- 300 g di farina per polenta istantanea
- 1,5 l d'acqua
- 1 bicchiere di vino bianco
- 1 bicchiere di passata di pomodoro
- 1 scalogno
- 2 rametti di rosmarino
- 50 g di grana
- 50 g di burro + qb per lo stampo
- olio extravergine
- sale e pepe

Fare appassire lo scalogno tritato in un tegame con l'olio, poi unire le salsicce tagliate a pezzetti lunghi 2 dita circa e qualche ago di rosmarino, profumare con il pepe macinato e lasciare rosolare a fuoco vivace per pochi minuti. Aggiungere il vino e lasciare evaporare, quindi unire la passata di pomodoro e fare cuocere per 20 minuti a fuoco basso, chiudendo con il coperchio. A fine cottura il tutto deve risultare sugoso ma non troppo brodoso. Regolare di sale. Intanto portare a bollore una pentola d'acqua salata, unirvi a pioggia la farina di mais e cuocere, mescolando con una frusta, come indicato sulla confezione. A fine cottura incorporare il grana grattugiato, il burro e trasferire il tutto in uno stampo leggermente imburrato con il foro al centro, battendolo sul piano di lavoro per evitare che restino spazi vuoti. Lasciare riposare 15 minuti. Capovolgere lo stampo su un piatto da portata, sistemare parte delle salsicce al sugo al centro della forma, guarnire con il rosmarino rimasto e portare in tavola. Il resto delle salsicce sono da servire in un piatto a parte.

LONZA ALL'ANANAS

Questo secondo di carne e frutta è un piatto perfetto per un pranzo di Natale. Si presenta in una maniera davvero spettacolare e il connubio tra l'ananas caramellato e la carne di maiale è squisitissimo.

Per 4 persone
- 1 kg di lonza di maiale
- 1 bicchiere di vino bianco
- 1 bicchierino di rum
- ½ bicchiere di succo d'ananas
- 2 foglie d'alloro + qb per decorare
- 2 ciliegine candite
- 2 spicchi d'aglio
- 1 cucchiaino di miele
- 1 cucchiaino di paprika forte
- 1 ananas
- burro qb
- olio extravergine
- sale

Tagliare la lonza a fette dello stesso spessore di un dito. Soffriggere in padella con un po' d'olio uno spicchio d'aglio e una foglia d'alloro, poi toglierli e mettere le fette di lonza cuocendole un minuto per lato. Bagnare con il vino e farlo evaporare a fuoco alto per altri 3 minuti, quindi trasferire la carne su un piatto e lasciare intiepidire. Versare nella stessa padella, insieme al fondo di cottura, il succo d'ananas, un po' di paprika e di sale, il miele e il rum. Fare cuocere qualche minuto fino a che il liquido non si è ridotto un po'. Sbucciare lo spicchio d'aglio rimasto e sfregarlo sulle fette di lonza, poi infilzarle su uno spiedino, alternandole alle fette d'ananas tagliate dello stesso spessore della carne e leggermente salate. Ungere una teglia d'olio e adagiarvi lo spiedino insieme con una foglia d'alloro, cospargere con fiocchetti di burro e infornare per 10 minuti a 200°, poi irrorare con la salsina di succo d'ananas, miele e paprika e proseguire la cottura per altri 10 minuti a 190°. Infine alzare la temperatura del forno a 220° e, spennellando la carne con il fondo di cottura nella teglia, cuocere altri 10 minuti o fino a che non si forma una crosta lucida. Decorare con qualche foglia d'alloro, 2 ciliegine alle estremità dello spiedo e servire.

FAGOTTINI DI VERZA SU CREMA DI PATATE

In ogni mio libro non può mancare una ricetta di Rosa Prinzivalli, amica carissima nonché ottima cuoca! Si tratta di una versione alternativa degli involtini che io preparo di solito con l'arrosto avanzato. Il suo tocco da chef è la base di crema di patate allo zafferano.

Per 4 persone
- 8 foglie di verza
- 2 patate
- 50 g di speck
- 250 g di funghi champignon
- 50 g di provola
- 2 spicchi d'aglio
- 2 bustine di zafferano
- prezzemolo qb
- grana qb
- burro qb
- olio extravergine
- sale

Privare le foglie di verza del gambo duro, lessarle per alcuni minuti in acqua bollente e scolare. Rosolare i funghi in una padella con l'olio e l'aglio per pochi minuti e condire con un po' di sale e prezzemolo tritato. Farcire le foglie di verza con i funghi cotti, lo speck e la provola tagliati a dadini e richiuderle a pacchettino. Adagiare i fagottini farciti in una teglia leggermente imburrata, mettere su ciascuno un fiocco di burro e un cucchiaio di grana grattugiato e infornare sotto il grill a 180° per 5 minuti. Sbucciare e tagliare a dadini le patate, coprirle d'acqua e farle lessare con un pizzico di sale. Una volta cotte, unire lo zafferano, una noce di burro e un po' di grana e frullare. La base di patate deve rimanere abbastanza cremosa quindi più liquida di un purè. Al momento di servire distribuire un po' di crema sul piatto e completare con 2 fagottini.

FARAONA ALL'ARANCIA

Questo piatto raffinato e poco costoso vi farà fare un figurone. La faraona, infatti, ha una carne molto più saporita del pollo ma si cuoce in maniera semplicissima.

Per 4 persone
- 1 faraona a pezzi
- 200 ml di vermut
- 3 cucchiai di miele
- 2 cucchiai di salsa di soia
- 2 scalogni
- 2 spicchi d'aglio
- 1 arancia non trattata
- rosmarino qb
- olio extravergine
- sale

Ricavare le scorzette dall'arancia cercando di non tagliare la parte bianca che è amara. Preparare la marinata mescolando il vermut, la salsa di soia, il succo dell'arancia, il miele, uno spicchio d'aglio e un po' di rosmarino. Immergere i pezzi di faraona e lasciarli a marinare per almeno 6 ore in frigorifero, rigirandoli di tanto in tanto. Scolare la carne, rosolarla in padella con un po' d'olio e poi aggiungere lo scalogno tritato e l'aglio rimasto (in questo modo non bruceranno), aggiustare di sale e versarvi sopra la marinata. Lasciare cuocere coperto per circa 20-25 minuti. Infine togliere il coperchio, unire le scorzette, alzare la fiamma e fare restringere un po' il sughetto prima di servire.

BURGER BUNS, OVVERO I VERI PANINI DA HAMBURGER

Quando preparo gli hamburger ottengo sempre degli ottimi risultati perché compro la carne di prima scelta e il formaggio che mi piace, la pancetta affumicata la faccio rosolare, il pomodoro e l'insalatina sono freschissimi. L'unico problema è il pane che non è mai all'altezza di quello dei fast food. Una soluzione però c'è ed è semplice: prepararlo in casa con la ricetta che mi ha regalato una vera esperta, Laurel Evans.

Per 8 panini
- 450 g di farina
- 50 g di zucchero
- 1 bustina di lievito di birra disidratato
- 1 uovo
- 30 g di burro
- olio extravergine
- sale

Per la copertura
- 1 uovo
- semi di sesamo qb

Mescolare tutti gli ingredienti dell'impasto (tranne l'olio) aggiungendo acqua sufficiente a ottenere un panetto morbido e liscio ma non appiccicoso, simile a quello per la pizza. Metterlo in una ciotola leggermente unta d'olio, coprire con un canovaccio e lasciare lievitare per 1 o 2 ore finché non raddoppia di volume. Trascorso questo tempo, sgonfiare leggermente l'impasto, formare un panetto allungato e tagliarlo in 8 pezzi con cui ricavare 8 pagnottelle. Mettere i panini su una teglia leggermente unta d'olio, coprire e lasciarli lievitare per un'altra ora, finché non sono ben gonfi. Spennellare i panini con l'uovo sbattuto mescolato a un cucchiaino d'acqua, poi spolverare con i semi di sesamo. Cuocere nel forno già caldo a 190° finché non sono dorati, ci vorranno circa 15 minuti.

POLPETTE SVEDESI

Io, modestamente, mi ritengo la regina delle polpette... eppure davanti a questa ricetta ho dovuto cedere il passo e ammettere di essere stata superata. Quelle svedesi, infatti, hanno un segreto: prima vengono fritte e poi bollite. Questa doppia cottura le rende uniche.

Per 4-6 persone
- 100 g di carne trita di manzo
- 300 ml di besciamella
- 1 patata lessa
- 1 cipolla
- 1 uovo
- 50 g di pane
- prezzemolo qb
- 1 bicchiere di latte
- farina qb
- 1 misurino di brodo granulare di carne
- marmellata di mirtilli qb
- olio extravergine
- olio di semi
- sale

Fare soffriggere la cipolla tritata con un po' d'olio extravergine fino a che non è appassita ma non bruciata. Se necessario aggiungere un po' d'acqua. Ammollare il pane nel latte e unire la carne, la patata lessa schiacciata, l'uovo e il sale. Impastare il tutto, aggiungere la cipolla precedentemente soffritta e il prezzemolo tritato. Modellare le polpette grandi come una pallina da ping pong, passarle nella farina e friggerle in padella nell'olio di semi. Portare a bollore una pentola con circa 2 litri d'acqua e scioglierci dentro il brodo granulare (tenere da parte qualche cucchiaio per la salsa). Una volta che tutte le polpette sono cotte, prelevarle dalla padella eliminando l'olio in eccesso e tuffarle nel brodo in ebollizione per pochi minuti, quindi scolarle. Stemperare la besciamella con qualche cucchiaio di brodo per ottenere una salsa abbastanza liquida e saporita. Mettere una base di salsa nel piatto e servirci sopra le polpette. In Svezia si accompagnano con la marmellata di mirtilli.

POLLO IN PIEDI

*Questo piatto è un po' surreale ma molto buono. Non bisogna far altro che prendere un pollo e...
sederlo letteralmente sopra una lattina di birra per farlo stare in piedi e infornarlo così. L'aroma
della birra si sprigionerà in tutto il pollo e la cottura verticale darà un effetto "spiedo" molto
goloso.*

Per 4 persone
- 1 pollo
- 1 lattina di birra scura
- 1 cucchiaio di paprika
- 1 cucchiaio di semi
  di finocchio
- 1 cucchiaino di semi
  di cumino
- 1 cucchiaino di zucchero
  di canna
- 1 cucchiaino di
  peperoncino in polvere
- 1 cucchiaio di pepe nero
  in grani
- olio extravergine
- sale

Pestare i semi di finocchio, il pepe e il cumino e mescolarli
con la paprika, lo zucchero di canna, il peperoncino e il sale.
Aggiungere circa 3 cucchiai d'olio e strofinare con questa salsina
il pollo, dentro e fuori. Aprire la lattina di birra e svuotarla di
una metà circa. Avvolgere i lati della lattina con la carta stagnola
e infilarla dentro il pollo, tenendolo in piedi, in maniera che ci
stia praticamente seduto sopra! Appoggiarli in questa posizione
dentro una teglia, quindi trasferirli all'interno del forno a 200°
e cuocere per circa 70-90 minuti o comunque fino a che il pollo
non risulta ben dorato.

Attenzione: dopo questa cottura
un po' speciale, il vostro forno
avrà bisogno di una bella pulita!

RUSTIN NEGÀ CON PANCETTA

Questi nodini di vitello sono un piatto della tradizione milanese. Sono letteralmente degli arrostini annegati, quindi non risparmiate il brodo: mettetene in abbondanza in modo che la carne cuocia immersa nel liquido e diventi tenerissima. La pancetta non so se rispetti la tradizione meneghina, ma dà loro una marcia in più.

Per 4 persone
- 4 nodini di vitello
- 150 g di pancetta affumicata a fette (bacon)
- 1 bicchiere di vino bianco
- brodo vegetale qb
- farina qb
- rosmarino qb
- salvia qb
- olio extravergine
- sale

Disporre su ogni nodino di vitello una fetta di pancetta e arrotolare la carne. Richiudere con lo spago formando dei grossi involtini e infarinarli. Fare un soffritto con il resto della pancetta tagliata a striscioline e un po' d'olio, rosolarvi gli arrostini su tutti i lati e sfumare con il vino. Aggiustare di sale e aggiungere interi il rosmarino e la salvia e tanto brodo (fatto con acqua e dado) da coprirli a filo. Lasciare cuocere per circa 45 minuti finché non sono tenerissimi, unendo dell'altro brodo se necessario.

COSCE DI TACCHINO ALLE CASTAGNE CON MAIS E PATATE ALLE NOCI

Questo è il tipico arrosto invernale, perfetto per le grandi occasioni, anche per il giorno di Natale. I lati positivi di questa ricetta sono due: innanzitutto la bontà, poi il fatto che le cosce di tacchino rispetto a un qualunque altro pezzo di carne costano davvero una sciocchezza!

Per 4 persone
- 2 cosce di tacchino
- 150 g di castagne precotte
- 1 bicchiere di vino bianco
- erbe aromatiche (salvia, rosmarino, timo, maggiorana) qb
- 1 spicchio d'aglio
- burro qb
- sale e pepe

Per il contorno
- 3 patate lesse
- 1 lattina di mais
- 3-4 gherigli di noci
- 50 g di burro + qb per il mais
- sale

Tritare le erbe aromatiche con l'aglio. Spalmare di burro le cosce di tacchino, condirle con le erbe tritate in modo che rimangano attaccate e sistemare la carne in un tegame da forno non troppo grande, altrimenti il sugo tenderà ad asciugarsi e bruciare. Unire le castagne, salare e pepare e versare il vino e cuocere per un'ora in forno a 200°. Io di solito comincio la cottura a forno statico e poi nell'ultimo quarto d'ora lo metto in funzione ventilata in modo da formare una bella crosticina. Durante la cottura rigirare la carne e, se necessario, bagnare con il fondo. Se il sugo si asciuga troppo aggiungere altro vino oppure dell'acqua, invece se la carne tende a bruciare coprire con un foglio di alluminio. Per il contorno, schiacciare con la forchetta le patate lesse ancora calde, aggiungerci le noci tritate grossolanamente, incorporare il burro a fiocchetti e aggiustare di sale. Far insaporire il mais con un altro po' di burro in padella e salare. Servire le cosce di tacchino con il contorno di patate e mais.

CONIGLIO BISCOTTATO

A me il coniglio piace tantissimo, ma alla fine lo cucino sempre nella stessa maniera. Le uniche varianti sono con o senza sugo di pomodoro, con o senza olive. Questa ricetta invece è completamente diversa: il coniglio prima viene leggermente lessato e poi impanato. Il risultato è morbido e croccante insieme.

Per 4 persone
- 800 g di cosce di coniglio
- 100 g di misto per soffritto surgelato
- 70 g di patatine fritte in busta
- 70 g di grissini
- 1 bicchiere di vino bianco
- senape dolce qb
- 2 spicchi d'aglio
- 1 rametto di rosmarino
- olio extravergine
- sale grosso
- 1 cucchiaino di pepe in grani

Far appassire il soffritto con l'aglio in un po' d'olio, bagnare con il vino e fare sobbollire. Aggiungere le cosce di coniglio, coprire a filo d'acqua, unire una presa di sale grosso, il pepe in grani e un rametto di rosmarino. Far bollire senza coperchio per 15-18 minuti, quindi lasciare raffreddare completamente la carne nel suo brodo. Scolare le cosce, asciugarle tamponandole con carta assorbente, poi spennellarle con la senape. Tritare nel frullatore le patatine con i grissini, ottenendo una panure fine. Impanarci le cosce e appoggiarle su una placca coperta con carta da forno. Completare con un filo d'olio e infornarle a 250° per 10-12 minuti, finché non saranno un po' biscottate in superficie.

Con lo stesso procedimento potete cucinare anche le cosce di pollo.

COTECHINO IN GALERA

Quest'anno ero davvero stufa del solito cotechino... buonissimo, per carità, ma sempre uguale. Così da un vecchio libro in redazione è spuntata questa ricetta che ha subito attirato la nostra attenzione. Il povero cotechino viene avvolto prima nel prosciutto poi nella fesa di manzo e infine sottoposto a una lunga cottura in brodo. Il risultato è a dir poco eccezionale.

Per 4 persone
- 1 cotechino precotto
- 300 g di fesa di manzo aperta in una sola fetta
- 100 g di prosciutto crudo
- 200 ml di vino rosso
- 100 g di misto per soffritto surgelato
- brodo di carne qb
- olio extravergine
- sale

Stendere sul tagliere la fetta di manzo, batterla con il batticarne e foderarla con le fette di prosciutto crudo. Sistemarci dentro il cotechino già spellato e legare questo arrosto ripieno con lo spago da cucina. Metterlo in un tegame e farlo rosolare per bene nell'olio, poi toglierlo e fare appassire nel fondo di cottura il misto per soffritti. Quindi rimettere nel tegame l'arrosto, alzare la fiamma e sfumare con il vino rosso. Quando sarà evaporato, aggiungere il brodo (fatto con acqua e dado) che dovrà coprire l'arrosto a metà e, appena comincia a bollire, abbassare la fiamma, coprire e lasciare cuocere per un'ora e mezzo girandolo di tanto in tanto. Aggiustare di sale e aggiungere dell'altro brodo solo se è necessario. Tagliare a fette spesse e servire ben caldo col sugo di cottura.

TORTINI DI COTECHINO

Ecco come trasformare i tristi avanzi di Capodanno in qualcosa di davvero buono e originale. Immaginate di aprire il frigo il primo gennaio: troverete mezzo cotechino, un pugno di lenticchie avanzate e il purè duro e freddo. Non demoralizzatevi. Basta aggiungere un rotolo di pasta per pizza e il gioco è fatto.
P. S. Nella ricetta vi darò le indicazioni per preparare il purè, il cotechino e le lenticchie partendo da zero.

Per 6 pirottini
- 1 rotolo di pasta per pizza
- 1 cotechino precotto
- 1 lattina di lenticchie
- $1/2$ bicchiere di sugo di pomodoro
- 1 busta di purè istantaneo
- 1 scalogno
- pangrattato qb
- rosmarino qb
- grana qb
- burro qb
- olio extravergine e sale

Rosolare lo scalogno nell'olio, unire le lenticchie scolate, il sugo di pomodoro, il rosmarino, il sale e lasciare insaporire per pochi minuti. Preparare il purè e il cotechino precotto seguendo le indicazioni riporate sulle confezioni. Una volta che tutti gli ingredienti sono pronti, rivestire con la pasta per pizza gli stampini da muffin precedentemente imburrati, farcirli con una fetta di cotechino, una cucchiaiata di lenticchie al pomodoro e un ciuffo di purè. Completare con una manciata di pangrattato e grana grattugiato e infornare a 200° per 10-15 minuti.

SPINACINO

A Milano l'arrosto di vitello farcito si chiama "spinacino", ma non so se è così anche nel resto d'Italia. Quello che dovete fare in qualunque regione del Paese vi troviate è andare dal macellaio e farvi incidere una bella tasca in un arrosto di vitello e poi riempirlo di cose buone... come queste.

Per 4 persone

- 1 spinacino di vitello da circa 800 g (ossia un arrostino di vitello a cui è stata praticata una tasca per poterlo farcire)
- 120 g di erbette (bietoline)
- 100 g di ricotta
- 100 g di pancetta a dadini
- 80 g di fontina
- 40 g di pecorino
- 1 uovo
- 1-2 bicchieri di vino bianco
- 3-4 spicchi d'aglio
- salvia qb
- sale

Lessare le erbette in acqua, strizzarle bene e tritarle nel frullatore insieme alla ricotta, all'uovo e al pecorino. Rosolare la pancetta in padella senza olio. In una ciotola mescolare il composto di verdura con la pancetta e la fontina tagliata a dadini. Mettere la farcia ottenuta nella tasca dell'arrosto (senza esagerare, mi raccomando, perché in cottura cresce!), richiuderlo con ago e filo, o semplicemente con qualche stecchino di legno, e rosolarlo nel grasso rilasciato dalla pancetta. Salare, insaporire con l'aglio e la salvia, poi sfumare con il vino. Infine cuocere in forno per 40 minuti a 180°.

Prima di affettare lo spinacino, lasciatelo intiepidire per almeno 10-15 minuti, così non rischierete che si rompa.

AGNELLO RIPIENO

Questo agnello ripieno è un secondo sontuoso, perfetto per un pranzo pasquale o una ricorrenza importante. Il cosciotto deve essere disossato dal macellaio. Io per lo meno non sarei in grado di farlo. Quando lo richiudete dopo averlo farcito. non preoccupatevi se non sarà perfettamente sigillato, un po' di ripieno starà bene anche mescolato al sughetto.

Per 8 persone
- 1 cosciotto d'agnello disossato da 2 kg
- 300 g di lardo
- 100 g di pane
- vino bianco qb
- 2 bicchieri di brodo vegetale
- 2 spicchi d'aglio
- misto per soffritto surgelato qb
- scorza di limone non trattato qb
- rosmarino e salvia qb
- olio extravergine e sale

Frullare nel mixer il lardo a striscioline, il pane sbriciolato, la scorza grattugiata del limone, uno spicchio d'aglio, il rosmarino e la salvia e farcire con questo composto il cosciotto. Salarlo, compattare bene il ripieno al suo interno, là dove prima c'era l'osso. Avvicinare i lembi di carne e chiudere il cosciotto con lo spago in maniera che la farcia non esca. Rosolare a fuoco vivace la carne in una padella con un filo d'olio, unire il misto per soffritto, lo spicchio d'aglio rimasto e sfumare con il vino bianco e il brodo (fatto con acqua e dado). Trasferire l'agnello su una teglia, unire anche la sua salsa e terminare la cottura in forno a 180° per 2 ore, rigirando ogni tanto la carne e irrorandola con il fondo di cottura.

PASTICCIO DI POLLO

Quando ho preparato questo piatto non sapevo come sarebbe stato accolto in famiglia. L'ho lasciato in tavola appena tiepido per pranzo e poi sono dovuta uscire. Quando sono tornata prima di cena era scomparso... l'avevano mangiato anche a merenda!

Per 6 persone
- 2 rotoli di pasta brisée
- 450 g di petto di pollo
- 350 g di prosciutto di Praga
- 4 cipollotti
- scorza di 1 limone non trattato
- dragoncello qb
- timo qb
- 50 ml di panna fresca
- 2 uova
- noce moscata qb
- sale e pepe

Scaldare il forno a 190°. Tagliare a pezzetti il petto di pollo, frullarne 120 g con il prosciutto e versare il composto ottenuto in una ciotola. Aggiungere i cipollotti tritati finemente, il dragoncello e il timo sminuzzati, la scorza grattugiata del limone, un uovo, poi salare, pepare e amalgamarvi la panna in modo da ottenere un composto cremoso. Insaporire il petto di pollo avanzato con la noce moscata e il sale. Rivestire con la carta da forno uno stampo di 20 cm di diametro e con il bordo alto almeno 5 cm, stenderci dentro un rotolo di pasta brisée e ritagliare la pasta in eccesso. Versare metà del composto di pollo e prosciutto, coprire con il pollo a pezzetti e poi concludere con il resto del composto frullato. Stendere il secondo rotolo di brisée, ritagliare un disco della misura giusta e usarlo per chiudere il timballo, sigillando bene il bordo. Fare un piccolo foro al centro e spennellare la superficie con l'uovo sbattuto. Infornare per 20 minuti nel forno a 160° e proseguire la cottura per un'ora e 15 minuti a 190°. Se necessario, coprire con l'alluminio.

FILETTO ALLA WELLINGTON

Ho voluto cimentarmi con questo classicissimo secondo inglese perché ho visto milioni di volte Gordon Ramsay, nel suo programma "Hell's Kitchen", cacciare dalla cucina giovani cuochi inesperti che lo avevano preparato in maniera sbagliata. Il piatto prende nome dal duca di Wellington che era particolarmente difficile in fatto di cibo e faceva diventare pazzi i suoi chef, fino a quando uno di loro non si inventò questa ricetta che finalmente lo conquistò. Peccato che del cuoco non è rimasta traccia, mentre la pietanza ha reso immortale quel duca incontentabile! Noi cucineremo un pezzo di filetto intero e non una monoporzione come fa solitamente Gordon.

Per 4 persone
- 1 kg di filetto di vitello
- 1 rotolo di pasta sfoglia
- 500 g di funghi champignon
- 100 g di prosciutto crudo dolce
- 10 castagne precotte
- 1 uovo
- senape dolce qb
- olio extravergine
- sale

Frullare le castagne con i funghi e cuocere il paté ottenuto in un pentolino unto d'olio con un pizzico di sale, finché l'acqua di cottura non si sarà completamente asciugata. In un altro tegame versare qualche cucchiaio di olio e rosolare il filetto su tutti i lati, spegnere il fuoco per lasciarlo intiepidire, quindi spennellarlo con la senape. Stendere le fette di prosciutto crudo leggermente sovrapposte l'una sull'altra sopra un foglio di pellicola per alimenti, ricoprire il tutto con un generoso strato di purea di funghi e poggiarvi sopra la carne. Aiutandosi con la pellicola, arrotolare il prosciutto attorno al filetto, chiudere formando un salsicciotto bello stretto e far riposare in frigo per una mezz'ora: questo consentirà alla carne di mantenere la forma. Trascorso il tempo, eliminare la pellicola e adagiare il filetto al centro della pasta sfoglia stesa, arrotolare la pasta attorno alla carne e chiudere come un pacchettino. Spennellare con l'uovo, praticare dei tagli in superficie in modo da agevolare la cottura, quindi trasferire in forno per circa 30 minuti a 180°, poi cuocere per altri 5 minuti a 200°. Servire accompagnando con purè di patate.

INSALATA DI SEPPIE, SEDANO E GRANA

Piatto lampo di Davide Valsecchi. Basta lessare in anticipo le seppie e poi si prepara in pochi minuti. Il sapore delicato della seppia si sposa benissimo con il grana e la consistenza croccante del sedano.

Per 4 persone
- 4 seppie già pulite
  (800 g circa)
- 1 cespo di sedano
- 1 carota
- prezzemolo qb
- 50 g di grana
- olio extravergine
- sale e pepe

Mettere a cuocere le seppie in acqua fredda con un gambo di sedano e la carota e farle bollire per 30 minuti. Una volta pronte, tagliarle a fettine sottili. Affettare sottilmente anche il resto del sedano e mescolarlo con la seppia, condire con il prezzemolo tritato, il grana a scaglie, l'olio, il sale e il pepe.

SPIEDINI DI MANZO CON MINI PANCAKE E SALSA SEMIACIDA

Gli spiedini sono un modo facile e divertente di proporre la carne ai bambini. Ma la cosa che amo di più di questa ricetta sono i mini pancake fatti con il purè istantaneo: deliziosi, facilissimi e originali. Grazie a Sarah Felberbaum per la ricetta squisita.

Per 4 persone
- 500 g di manzo
- 3 cucchiai di rafano
- 2 cucchiai di rosmarino
- 1 bicchierino di Porto
- 2 cucchiai di salsa
  Worcester
- 60 ml d'olio extravergine

Per i pancakes
- 3 uova
- 125 ml di latte
- 60 g di purè istantaneo
- 40 g di farina
- $^1/_2$ cucchiaino
  di bicarbonato di sodio
- succo di $^1/_2$ limone
- olio extravergine

Per la salsa
- 200 ml di panna fresca
- succo di $^1/_2$ limone
- $^1/_2$ cucchiaino di senape
- erba cipollina qb
- sale

Procurarsi dal macellaio un taglio di manzo tenero (scamone, per esempio) già ridotto a dadini. Mettere in un sacchetto di plastica per alimenti la carne con l'olio, il rosmarino, il rafano grattugiato (se vi piace), il Porto e la salsa Worcester e lasciare marinare per almeno 20 minuti. Trascorso questo tempo, preparare gli spiedini e grigliarli sulla piastra senza aggiunta di condimento, rigirandoli ogni tanto. Per i pancake, mescolare le uova con il latte, aggiungere il purè istantaneo, la farina, 2 cucchiai d'olio e infine il bicarbonato e il succo di limone. Versare un cucchiaio di composto alla volta su una padella antiaderente, unta con un poco d'olio, e cuocere i mini pancake 30 secondi circa per lato. Preparare la salsa mescolando la panna con il succo di limone, la senape, un pizzico di sale e l'erba cipollina tagliuzzata. Servire i pancake con la salsa e gli spiedini di carne.

ARROSTO DI PESCATRICE FASCIATO

La rana pescatrice è un pesce polposo e senza spine che si può cucinare come se fosse un pezzo di arrosto di vitello. Il risultato è molto saporito e originale.

Per 4 persone
- 1 filetto di rana pescatrice da 800 g
- 100 g di prosciutto crudo
- 40 g di pomodorini secchi sott'olio
- 1 bicchiere di vino bianco
- 10 olive verdi denocciolate
- 2 limoni non trattati
- timo qb
- 3 spicchi d'aglio
- olio extravergine

Tritare grossolanamente i pomodorini con la scorza grattugiata di un limone (lasciarne da parte un po' per la cottura), le olive e il timo. Eliminare la lisca centrale dalla pescatrice, aprire a libro il filetto e farcirlo in mezzo con il trito di pomodorini e olive. Allineare le fette di prosciutto su un foglio di carta da forno, posare al centro il pesce, richiuderlo avvolgendovi intorno il prosciutto e aiutandosi con la carta da forno per formare un grosso fagottino. Legarlo con lo spago da cucina. Ungere una teglia con un po' d'olio, sistemarvi il pesce e gli spicchi d'aglio schiacciati, bagnare con il vino e condire con altra scorza di limone. Infornare a 180° per 25 minuti, irrorando di tanto in tanto con il fondo di cottura. Guarnire con fette di limone.

POLLO E COSTINE
ALLO SCIROPPO D'ACERO

Sbirciare dentro il forno mentre la carne caramella e si scurisce fino ad avere la pelle croccante è meglio che guardare la televisione! Provate questo piatto davvero super e, se non avete tempo di far marinare la carne tutta una notte, lasciatela anche solo 10 minuti. Il risultato sarà squisito lo stesso. Spesso di sciroppo d'acero ne metto un po' di più di quanto indicato dalla ricetta, dipende dai gusti! L'unica cosa che non si può modificare è il modo in cui si mangia questo piatto: rigorosamente con le mani.

Per 4 persone
- 8 costine di maiale
- 4 cosce di pollo
- 125 ml di succo di mela non zuccherato
- 4 cucchiai di sciroppo d'acero
- 2 cucchiai di salsa di soia
- 2 cucchiai d'olio di semi
- 3 spicchi d'aglio
- 1 stecca di cannella
- rosmarino qb

Mettere le costine e le cosce di pollo a marinare in frigo con tutti gli ingredienti. Si possono sistemare dentro una pirofila ricoperta di pellicola per alimenti, oppure direttamente nei sacchetti di plastica da freezer, purché siano chiusi e i pezzi di carne ben immersi nella marinata. Lasciare marinare per tutta la notte. Trascorso questo tempo, versare il contenuto dei sacchetti o della pirofila in una grande teglia e cuocere in forno a 200° per circa un'ora.

MAIALE AL LATTE

Tipico arrosto emiliano che si prepara con pochi ingredienti e molti piccoli segreti tramandati dalla tradizione. A me li ha insegnati lo chef Roberto Carcangiu. Come per la cottura dello spezzatino, anche in questo caso la carne non va rosolata, ma la cottura parte a freddo con tutti gli ingredienti in pentola.

Per 4 persone
- 1 kg di lonza di maiale
- 3 patate lesse
- latte qb
- 40 ml di aceto di vino bianco
- salvia qb
- rosmarino qb
- 1 spicchio d'aglio
- bacche di ginepro qb
- olio extravergine
- sale e pepe

Tagliare la lonza in 2 parti praticando il taglio nel senso della lunghezza, quindi contro vena (non come se dovessimo tagliare una fetta spessa). Massaggiare tutta la carne con l'aceto e metterla in una pirofila con la salvia, il rosmarino, l'aglio, il ginepro schiacciato e un bicchiere d'olio e far riposare una notte. Sgocciolare la carne dalla marinata e trasferirla in una casseruola, aggiungere qualche cucchiaio d'olio della marinata, ricoprire l'arrosto con il latte e cuocere a fuoco dolcissimo per 30-40 minuti coperto. Salare. Nel frattempo lessare le patate, pelarle, schiacciarle e condirle con un giro d'olio, sale e pepe. Servirle con la carne affettata e condita con il sugo di cottura.

Quando l'arrosto è così delizioso, meglio abbinare delle semplici patate lesse per esaltare tutto il sapore della carne.

AGNELLO ALLA MARCHIGIANA

Amo molto l'agnello ma lo cucino sempre nella stessa maniera, in forno con patate e carciofi. Questa ricetta marchigiana mi ha dato uno spunto molto goloso per presentare un secondo diverso e saporito.

Per 4 persone
- 300 g di polpa di agnello
- 1 bicchiere di Marsala
- 150 g di pancetta a fette
- alloro qb
- salvia qb
- rosmarino qb
- olio extravergine
- sale

Tagliare l'agnello a bocconcini e rosolarlo in poco olio su tutti i lati. Salare, sfumare con il Marsala e lasciare evaporare per qualche minuto. Spegnere il fuoco, prelevare i bocconcini e avvolgerli nelle fette di pancetta, quindi sistemarli in una teglia da forno. Aggiungere le erbe aromatiche, il fondo di cottura e cuocere per 40 minuti a 180° bagnando, se necessario, con brodo o acqua calda. Servire l'agnello con il suo sughetto.

POLLO ARROSTO SPECIALE

L'ho chiamato pollo arrosto speciale perché io uno così buono non ero mai riuscita a cucinarlo... Merito di due piccoli trucchetti. Primo: un limone intero posizionato all'interno del volatile, che dona un leggerissimo aroma alla carne dando carattere al piatto. Secondo: una doppia cottura. Con il coperchio che dona morbidezza grazie al vapore sprigionato dall'acqua e dal vino. Poi una cottura ventilata senza coperchio che regala la croccantezza unica. Nessuno resisterà al vostro pollo arrosto!

Per 4 persone
- 1 pollo
- 1 limone non trattato
- 400 ml di vino bianco
- 200 ml d'acqua
- 1 cucchiaio di sale e paprika
- rosmarino qb
- olio extravergine
- sale

Bloccare le cosce del pollo legandole con un po' di spago, quindi aromatizzare la pelle massaggiandola con l'olio, il sale e la paprika e condire anche l'interno. Infilare dentro il pollo il limone intero ben lavato e trasferire il pollo in una casseruola dai bordi alti, poi aggiungere il vino, l'acqua e un po' di rosmarino. Coprire la casseruola con l'alluminio o con un coperchio e cuocere in forno per un'ora a 180°. Scoprire poi il pollo e cuocere a 200° con la funzione ventilata per un'altra mezz'ora rigirando il volatile a metà cottura in modo che diventi molto croccante e dorato. Servire già porzionato e condito col sughetto.

PASTICCIO DI PATATE

Sono particolarmente affezionata a questo golosissimo gateau di patate ripieno di formaggio e prosciutto, perché la ricetta arriva dalla mia nipotina Angelica Gori, detta Gigi! È la figlia più piccola di mia sorella, nonché grande amica delle mie figlie. La Gigi è davvero una brava cuoca e prepara il suo pasticcio come una vera chef... e quanto è buono!

Per 4 persone
- 5 patate
- 2 uova
- 120 g di prosciutto cotto a cubetti + 4 fette
- 100 g di scamorza affumicata
- 1 mozzarella
- 4 sottilette
- 50 g di grana
- burro qb
- pangrattato qb
- sale

Tagliare la scamorza e la mozzarella a dadini. Lessare le patate e, una volta cotte, schiacciarle con lo schiacciapatate e mescolarle con le uova, la scamorza, la mozzarella, il grana grattugiato e il prosciutto cotto a cubetti. Regolare di sale e dividere in 2 l'impasto. Sporcare la teglia con un po' di burro e pangrattato, quindi stendere un primo strato d'impasto, completare con le sottilette e il prosciutto cotto a fette e richiudere il pasticcio con l'impasto rimanente. Completare con una spolverata di pangrattato e infornare a 180° per 30 minuti.

ZUPPA DI PESCE

Ci voleva Davide Valsecchi per convincermi a preparare la zuppa di pesce in casa! Mi ricordo da piccola quando la cucinava mia mamma... che buona, ma quante spine. Praticamente a ogni boccone bisognava sputacchiare qualche cosa. Insomma, alla fine invece che un piacere diventava una vera sofferenza. Questa zuppa invece, molto veloce e pratica, ha anche il merito di non avere spine. La adoreranno grandi e bambini.

Per 4 persone
- 10 polipetti
- 8 gamberi
- 3 calamari
- 1 fetta di nasello
- 1 filetto di San Pietro
- 1 filetto di gallinella
- 1 scalogno
- 1 bicchiere di vino bianco
- polpa di pomodoro qb
- 1 costa di sedano
- 1 cipolla
- 1 carota
- prezzemolo qb
- peperoncino qb
- fette di pane qb
- olio extravergine
- sale

Lessare i polipetti per 30 minuti insieme a sedano, cipolla e carota. Pulire i calamari e tagliarli a striscette. Tritare lo scalogno e soffriggerlo in un po' d'olio, poi aggiungere i polipetti lessati (conservare il brodo di cottura) e i calamari. Dopo una breve rosolatura unire anche il nasello, il San Pietro e la gallinella cercando di non mescolare per non rompere i pezzi di pesce. Far rosolare ancora qualche minuto, quindi sfumare con il vino e poi con un mestolo circa del brodo dei polipetti, aggiungere mezzo bicchiere di polpa di pomodoro, il prezzemolo tritato, un po' di peperoncino e dopo circa 10 minuti di cottura concludere con i gamberi, che dovranno cuocere solo pochissimi minuti. Aggiustare di sale e se necessario aggiungere altro brodo. La zuppa deve essere servita molto ricca di pesce e poco brodosa con crostini di pane abbrustolito di accompagnamento.

CARRY DE POULET

Ecco un bel secondo speziato, per dare una scossa al solito gusto del pollo. La ricetta arriva da una super modella che ha calcato le passerelle più importanti del mondo: Nadege.

Per 4 persone
- 1 kg di pollo tagliato a pezzi non troppo grandi
- 4 bicchieri di riso thai
- 3 pomodori
- 2 cipolle
- 1 spicchio d'aglio
- 1 radice di zenzero
- 1 rametto di timo
- 1 cucchiaino abbondante di curcuma
- peperoncino qb
- olio di semi
- sale e pepe

Tritare finemente le cipolle e tagliare a pezzetti i pomodori. Lavare il riso in acqua fredda fino a che l'acqua non diventa trasparente. Versarlo in una casseruola e ricoprirlo d'acqua (una falange sopra il riso), portare a bollore, abbassare la fiamma non appena si forma la schiuma, coprire e continuare a cuocere fino a che l'acqua non è evaporata. Rosolare il pollo nell'olio caldo a fuoco medio, aggiungere la cipolla, lo zenzero grattugiato, lo spicchio d'aglio, sale, pepe, il rametto di timo, il peperoncino e lasciare 2 minuti a insaporire. Unire i pomodori, continuare a mescolare, condire con la curcuma e proseguire la cottura per altri 2 minuti circa. Versare un bicchiere d'acqua, mescolare, abbassare la fiamma e coprire lasciando sul fuoco fino a che la carne non sarà cotta.

In questo piatto non lesinate il peperoncino!

TACCHINO ALLA PANNA

La mia cara amica Marta Romagna, prima ballerina alla Scala, oltre a essere un'artista eccezionale è anche una grande cuoca. Non immaginatevi insalatine e pollo ai ferri, i suoi piatti sono sempre super golosi e fanno impazzire i miei bambini. Proprio come è successo con questo tacchino aromatizzato con panna e funghi.

Per 4 persone
- 800 g di fesa di tacchino
- 1 bicchiere di panna fresca
- 1 bicchiere di latte
- 1 bicchierino di Marsala
- 4 patate
- 25 g di funghi porcini secchi
- aglio qb
- farina qb
- rosmarino qb
- burro chiarificato qb
- olio extravergine
- sale

Strofinare la superficie del tacchino con un trito d'aglio e rosmarino e passarlo nella farina. Metterlo a rosolare nel burro e olio poi spruzzarlo col Marsala e farlo evaporare. Versare un bicchiere di latte caldo, salare, aggiungere i funghi secchi precedentemente ammollati e lasciare cuocere per mezz'ora coperto, quindi aggiungere la panna e proseguire la cottura per altri 30 minuti rigirando la carne ogni tanto. Tagliare le patate a tocchetti e cuocerle al vapore fino a che non sono morbide (circa 10 minuti) poi trasferirle su una placca coperta di carta da forno, salare, condire con olio e passare sotto il grill per 5-10 minuti. Servire il tacchini a fette col sugo e le patate a parte.

TAGLIATA DI MANZO AL GINEPRO

Imparare a fare una tagliata è sempre utile. Si tratta di un piatto veloce, leggero e buono. La marinata al ginepro e aceto rende il manzo molto saporito, ma il vero segreto sta nella cottura al sangue, che però non deve essere eccessiva. Ricordatevi che premendo la carne con il dito scoprirete a che punto è la cottura: più è morbida più è cruda dentro, più si indurisce più all'interno è ben cotta.

Per 4 persone
- 600 g di filetto di manzo
- olio extravergine
- sale e pepe

Per la marinata
- 50 ml d'olio extravergine
- 4 spicchi d'aglio
- 50 g di bacche di ginepro
- 2 cucchiai di aceto balsamico

Preparare la marinata mettendo a scaldare in un pentolino l'olio con l'aglio. Tenere la fiamma molto bassa per 5 minuti circa evitando di far soffriggere l'olio che, scaldandosi, deve solo aromatizzarsi. Spegnere il fuoco, lasciare intiepidire per qualche minuto poi unire le bacche di ginepro e l'aceto balsamico. Salare e pepare il filetto, bagnare con tutta la marinata e fare riposare per un'ora. Sgocciolare la carne dalla marinata e cuocerla su una padella caldissima, circa 12-15 minuti in totale, rigirandola su ogni lato e aggiungendo cucchiaiate di marinata mentre cuoce. Lasciar riposare in padella a fuoco spento per 5 minuti poi trasferirla su un tagliere, affettarla e servire con il suo sughino.

DOLCI

FRUTTA AL CARTOCCIO

*A me la frutta cotta è sempre piaciuta, la scommessa però è trasformare un piatto un po'...
ospedaliero in qualcosa di raffinato e molto goloso. Ma con questo cartoccio credo ci avere vinto
la scommessa! A seconda della stagione, naturalmente, si può cambiare il tipo di frutta. D'inverno,
per esempio, è ottimo con le prugne, le albicocche, i datteri e i fichi secchi.*

Per 4 persone
• 1 pesca
• 2 albicocche
• 1 cestino di more
• 1 cestino di lamponi
• 1 cestino di mirtilli
• 1 arancia non trattata
• 25 g di burro
• 4 cucchiai di zucchero
• biscotti secchi qb
• nocciole qb
• gelato alla crema qb

Affettare la pesca e le albicocche. Soffriggere dolcemente in
padella la scorza di arancia grattugiata con il burro, quindi unire
la frutta e farla caramellare per qualche minuto con lo zucchero.
Sfumare con il succo dell'arancia, poi trasferire la frutta in 4
cartocci di carta da forno, richiuderli con lo spago da cucina e
passarli in forno caldissimo per pochi minuti. Senza aggiungere
condimento, tostare le nocciole in padella per pochi minuti e poi
tritarle grossolanamente. Servire i cartocci aperti con all'interno
una pallina di gelato, i biscotti secchi sbriciolati e le nocciole.

TORRIJAS

*Una merenda semplice come quelle di una volta, a base di pane secco imbevuto nel latte e poi
fritto. Le torrijas assomigliano al french toast ma sono spagnole. Me le ha insegnate la splendida
showgirl spagnola Laura Barriales insieme a sua madre in diretta telefonica dalla Spagna!*

Per 4 persone
• 300 ml di latte
• ¹/₂ pagnotta rafferma
  di Altamura
• 2 uova
• 4 cucchiai di zucchero
• olio di semi

Per completare
• cannella qb
• zucchero qb

Scaldare il latte con lo zucchero, ma senza farlo arrivare a bollore.
Tagliare il pane a fette spesse e bagnarle nel latte in modo che si
ammorbidiscano, ma non perdano consistenza. Rompere le uova
in un piatto e sbatterle con una forchetta. Passare le fette di pane
nell'uovo sbattuto imbevendole ben bene e friggerle in olio caldo.
Servire le torrijas spolverizzandole con zucchero e cannella.

CAKE POPS

Ho preparato questi lecca lecca di torta al cioccolato per il mercatino della scuola e me la sono cavata molto bene! Per farli ho utilizzando gli avanzi di una torta che avevo ritagliato in porzioni monodose, ma vanno bene anche le merendine confezionate. L'unico problema è saper gestire il momento della glassatura al cioccolato senza colare troppo in giro.

- 300 g di pan di Spagna avanzato (o torta al cioccolato o merendine confezionate)
- 200 g di Nutella
- 100 g di cioccolato fondente
- confetti colorati, gocce o codette a piacere qb

Sbriciolare in una ciotola la torta avanzata e mescolarla con la Nutella utilizzando le mani. Formare delle palline, premendole bene per compattarle e metterle a rassodare in freezer per mezz'ora. Sciogliere il cioccolato fondente senza aggiunta d'acqua (si può fare nel microonde oppure in un pentolino a bagnomaria o direttamente sul fuoco ma molto, molto dolcemente). Stendere un foglio di carta da forno. Passare le palline nel cioccolato bagnandole direttamente nel pentolino e rigirandole con l'aiuto di 2 cucchiai. Sgocciolarle e sistemarle sulla carta da forno, quindi completare ricoprendole con confettini colorati, gocce o codette di cioccolato. Lasciare indurire la copertura in frigo e prima di servire i lecca lecca infilzarli in uno stecco di legno, quello degli spiedini, tagliato a metà.

Se non avete un pezzo di polistirolo dove conficcare i cake pops prima di servirli, prendete una bella pagnotta di Altamura. Finiti i dolci, la riutilizzerete anche se sarà un po' bucherellata.

CREMA INGLESE AL TORRONCINO

Una crema diversa da accompagnare al panettone o a qualunque torta. La consistenza croccante delle nocciole caramellate la renderà unica.

Per 4-6 persone
- 4 tuorli
- 4 cucchiai di zucchero
- 500 ml di latte
- 1 barretta di croccante alle nocciole (circa 70 g)

In una casseruola, sbattere i tuorli con lo zucchero e aggiungere il latte, quindi trasferirla sul fornello a fuoco dolcissimo continuando a girare. Lasciare cuocere senza far prendere bollore e, quando la crema inizia ad addensare, spegnere la fiamma. Attenzione perché se resta sul fuoco troppo a lungo impazzisce. Tritare nel mixer il croccante fino a ridurlo in polvere, mescolarlo alla crema e servire con fette di panettone o con una qualunque altra torta.

PERE CON CRUMBLE DI MUESLI

Questo è il dessert delle emergenze. Veloce e buonissimo. Lo si può servire anche per merenda, ai miei bambini super golosi piace tantissimo!

Per 4 bicchieri
- 2 pere abate
- 200 g di Nutella
- 100 g di zucchero
- 30-40 g di burro
- 1/2 bicchiere di latte
- cannella qb
- muesli al cioccolato qb

Sbucciare le pere, eliminare il torsolo e tagliare la polpa a dadini. Scaldare in una padella il burro e lo zucchero, unire le pere, spolverizzarle con un po' di cannella e farle insaporire a fuoco vivace per circa un minuto. Scaldare in un altro pentolino la Nutella con il latte in modo da renderla più liscia e morbida. Comporre il dolce direttamente nel bicchiere, alternando le pere, un po' di muesli e completando con la crema di Nutella.

TORTA PITTA

Scommettiamo che vi preparo una torta in 10 minuti? Questa pitta (che vuol dire piadina), servita calda e farcita di Nutella, fragole e gelato, non ha niente da invidiare a una dolce da forno al cioccolato! Io l'ho scoperta al Nud e Crud di Rimini.

Per 4 persone
- 200 g circa di Nutella
- 4 palline di gelato alla crema
- 1 piadina (un po' grande!)
- 1 cestino di fragole
- menta qb
- zucchero a velo qb

Tagliare le fragole a fettine. Sciogliere la Nutella a bagnomaria, o direttamente in un pentolino sul fuoco o nel microonde, in modo che diventi morbidissima. Scaldare in padella la piadina su entrambi i lati, quindi metterla subito sul piatto da portata, spalmarla completamente di Nutella e ricoprire con le fragole a fettine. Tagliarla in 4 spicchi e servirne ognuna con zucchero a velo, una pallina di gelato alla crema e foglioline di menta.

Provate a travestire la piadina da pizza margherita con pomodoro e mozzarella e un veloce passaggio in forno!
Otterrete in un attimo un risultato strepitoso.

MOUSSE VELOCISSIMA

La mousse è un dessert buonissimo e anche abbastanza veloce da preparare. Il problema è che poi deve rimanere in frigo a raffreddare e solidificare prima di poterlo mangiare. Con questa ricetta lampo il problema non si pone, e sentirete che bontà!

Per 8 bicchierini
- 500 ml di panna fresca
- 175 g di latte condensato zuccherato
- 150 g di cioccolato fondente
- scorza di ½ arancia non trattata
- 2 cucchiai di succo d'arancia
- cacao amaro in polvere qb

Sciogliere il cioccolato in un pentolino con un goccio d'acqua e lasciare raffreddare leggermente. Montare il latte condensato con metà della panna finché non si addensa leggermente e a parte montare il resto della panna. Una volta che il cioccolato si è un po' raffreddato, unirlo al composto di latte condensato e panna insieme con il succo d'arancia e un po' di scorza grattugiata. Aggiungere anche il resto della panna montata mescolando dal basso verso l'alto. Trasferire nei bicchierini, decorare con il cacao e la scorza d'arancia rimasta e la mousse è pronta. Se si ha tempo la si può lasciare riposare in frigo, altrimenti servirla subito.

TIRAMISÙ ALLA RICOTTA

Per me che non sono una grandissima appassionata della crema al mascarpone questo tiramisù alla ricotta è stato una vera rivelazione. Leggerissimo e senza uova, eppure così goloso!

- 75 ml di caffè
- cannella qb
- 375 g di ricotta
- 60 g di zucchero a velo
- 225 g di yogurt greco
- biscotti Pavesini qb
- cacao amaro
  in polvere qb
- chicchi di caffè qb

Aromatizzare il caffè con un pizzico di cannella. Ripassare i Pavesini nel caffè e disporli sul fondo di una pirofila. Mescolare la ricotta con lo zucchero a velo, unire lo yogurt e mescolare. Versare metà della crema sullo strato di Pavesini. Coprire con un altro strato di Pavesini imbevuti e ancora uno strato di crema allo yogurt. Completare con il cacao e con qualche chicco di caffè.

COPPA DI CACHI AGLI AMARETTI

Un giorno nel preparare una cena per degli ospiti ho avuto un problema con il dolce: la torta che dovevo presentare è uscita praticamente con un buco in mezzo perché non era per niente lievitata. Dovendo risolvere al più presto il problema, mi sono ricordata del dessert squisito e velocissimo che avevo mangiato a casa dei miei amici Leo Gallo e Duilio Locatelli, una specie di mousse di cachi servita freddissima nelle coppe da champagne. Per fortuna era la stagione giusta! Ho comprato al volo i cachi e ho risolto il problema nella maniera più golosa.

Per 4 coppe
- 4 cachi
- 4 cucchiai di Grand Marnier
- 4 amaretti

Sbucciare i cachi e frullarli nel mixer aromatizzandoli con il Grand Marnier. Versare il composto in coppe da champagne e trasferire in frigo perché questo dolce deve essere servito freddissimo. Completare all'ultimo momento con amaretti sbriciolati sopra.

Se non amate gli amaretti, sostituiteli con riccioli di cioccolato fondente.

FUDGE

Questo è un dolce tipico sia della Gran Bretagna sia degli Stati Uniti. Ne esistono molte versioni, la più golosa a mio parere è quella con le noci che mi ha insegnato Laurel Evans. Non servono né farina né uova né forno. Il dolce perfetto da cucinare con i bambini! È velocissimo da preparare, ma ricordatevi che va fatto raffreddare in frigorifero prima di servirlo.

- 400 g di latte condensato
- 300 g di cioccolato fondente
- 200 g di cioccolato al latte
- 100 g di gherigli di noci
- 15 g di burro + qb per la teglia
- sale

Sistemare le noci intere su una teglia e tostarle in forno a 180° finché non saranno dorate, ci vorranno circa 10-12 minuti. Appena sfornate, mescolare con il burro e una presa di sale. In una casseruola scaldare a fiamma bassa il latte condensato con i 2 cioccolati a pezzetti, mescolando spesso. Una volta sciolti, togliere dal fuoco e unire le noci tostate. Rivestire uno stampo quadrato di circa 20 cm di lato con un foglio di alluminio e imburrarlo bene. Versare il tutto nello stampo e trasferirlo in frigorifero. Lasciare raffreddare il fudge per almeno 2 ore, quindi sformarlo, rimuovere l'alluminio e servire il dolce tagliato a quadrotti.

PESCHE SCIROPPATE ALL'AMARETTO

Quando a tavola manca il dolce, basta avere una lattina di pesche sciroppate in dispensa e il problema è risolto.

Per 4 persone
- 4 mezze pesche sciroppate
- sciroppo delle pesche
- 1 vasetto di marmellata di pesche
- 1 vasetto di budino al cioccolato
- 5 amaretti

In una padella scaldare le pesche sciroppate in modo che si abbrustoliscano appena appena. Metterle in un piatto e guarnirne alcune con una cucchiaiata di marmellata di pesche, altre con una cucchiaiata di budino al cioccolato. Completare con gli amaretti spezzettati e lo sciroppo.

FRUTTA STECCA

Questi dolcetti sono perfetti per far fuori la frutta secca dopo le feste natalizie!

Per 8 stecchi
- 100 g di cioccolato bianco
- 100 g di cioccolato fondente
- 100 g di nocciole
- 100 g di pistacchi
- albicocche secche qb
- fichi secchi qb
- datteri secchi qb

Far fondere separatamente il cioccolato bianco e quello fondente senza aggiungere acqua. Si può fare nel microonde o in un pentolino a bagnomaria, oppure direttamente sul fuoco ma molto, molto dolcemente. Intanto tagliare la frutta, compattarla con le dita e infilzarla negli stecchi. Tritare grossolanamente le nocciole e i pistacchi e mischiarli.
Intingere alcuni stecchi di frutta nel cioccolato bianco, altri nel cioccolato fondente, sgocciolarli e ripassarli nella granella di nocciole e pistacchi come se fosse una panatura. Farli raffreddare sulla carta da forno in modo che non risultino appiccicosi.

Se non avete l'ananas in cui infilzare gli stecchi, usate mezzo melone o mezza anguria: quando avrete spazzolato i dolcetti, vi resterà la frutta rinfrescante.

SALAME DI CIOCCOLATO BIANCO

Il salame di cioccolato è un dolce facile che piace a tutti! Provate questa versione bianca... è davvero notevole. Ci vuole pochissimo per prepararlo, ma poi va passato in frigorifero per un po': potere farlo quando avete qualche minuto di tempo e poi tirarlo fuori dal frigo così com'è quando vi serve!

Per 4 persone
- 250 g di nocciole
- 200 g di cioccolato bianco
- 120 g di biscotti secchi
- 100 g di zucchero
- 1 uovo
- zucchero a velo qb

Sciogliere il cioccolato insieme a qualche cucchiaio d'acqua in una casseruolina, unire lo zucchero e mescolare fino a quando diventerà una crema. A fuoco spento aggiungere l'uovo, le nocciole tritate e i biscotti sbriciolati grossolanamente e lavorare bene il tutto. Trasferire il composto su un foglio di carta da forno e dargli la forma di un salame, quindi avvolgerlo come una caramella nella carta. Mettere a rassodare in frigo per 3 ore, quindi eliminare la carta e, a piacere, legare il dolce con lo spago da cucina, come fosse un salame. Spolverizzare con lo zucchero a velo e servire.

SEMIFREDDO AI PISTACCHI

Il semifreddo più semplice (e più veloce!) del mondo: infatti il gelato si compra già fatto, ma al suo interno si mette della frutta secca golosa e prelibata. Serve solo un po' di pazienza perché bisogna aspettare che si raffreddi prima di mangiarselo tutto!

Per 4 persone
- 500 g di gelato alla panna
- 100 g di cioccolato fondente
- 50 g di pistacchi + qb per guarnire
- 50 g di mandorle
- 30 g di pinoli
- 50 g di torrone bianco alle nocciole

Foderare con carta da forno uno stampo da plum cake e tostare in padella i pistacchi spellati, i pinoli e le mandorle. Tritare al coltello o nel mixer il torrone e la frutta secca tostata. Lasciare ammorbidire il gelato a temperatura ambiente, quindi mescolarlo con la frutta secca e il torrone fino a ottenere una crema morbida e ben omogenea. Versare il composto nello stampo da plum cake foderato di carta da forno, livellarne la superficie e trasferire in freezer per almeno 3 ore. Poco prima di servire, sciogliere in un pentolino il cioccolato con un goccio d'acqua. Sformare il semifreddo, tagliarlo a fette, cospargerle con altri pistacchi tritati grossolanamente e servire con il cioccolato fuso.

COOKIES ALLE ARACHIDI E MOU

La prima volta che ho fatto questi biscotti è stato un piccolo disastro. Le caramelle mou, infatti, si sono sciolte in cottura colando all'interno del forno. Un vero orrore! Anche se il gusto era buonissimo, i miei figli mi hanno preso in giro senza pietà. Dunque il segreto per ottenere dei cookies buoni ma anche belli è toglierli dal forno prima che la mou cominci a sciogliersi. Mi raccomando!

Per 20 cookies
- 150 g di farina + qb per formare le palline
- 100 g di burro
- 100 g di zucchero di canna
- 100 g di gocce di cioccolato
- 80 g di arachidi salate
- 1 cucchiaio di miele
- 10 caramelle mou
- $^1/_2$ bustina di lievito per dolci

Mescolare il burro ammorbidito con lo zucchero, unire il miele, le gocce di cioccolato, le arachidi, le caramelle mou spezzettate con un coltello, la farina, il lievito setacciato e impastare. Infarinarsi un poco le mani, formare con l'impasto ottenuto (che risulterà abbastanza morbido) 20 palline e schiacciarle in modo da appiattirle leggermente su una teglia ricoperta di carta da forno. Cuocere i biscotti per 10-12 minuti a 170° o fino a che non saranno croccanti sui bordi e morbidi al centro facendo attenzione a toglierli dal forno prima che la mou incominci a sciogliersi. Lasciare intiepidire prima di mangiarli.

SOUFFLÉ AL LIMONE

Con questi soufflé al limone farete davvero un figurone pazzesco! Ma attenzione, si infornano all'ultimo minuto e si servono velocissimamente perché si sgonfiano subito. Comunque non vi preoccupate, una volta che gli ospiti li avranno ammirati, saranno deliziosi da mangiare anche completamente sgonfiati e non troppo caldi.

Per 6-8 persone
- 350 ml di latte
- 180 g di zucchero
- 50 g di farina
- 8 uova
- 2 limoni non trattati
- zucchero a velo qb
- 100 g di zucchero + qb per gli stampini
- burro qb
- sale

Dividere gli albumi dai tuorli e preparare la crema: sbattere i rossi con 80 g zucchero, incorporare la farina, unire il latte e cuocere il composto in un pentolino su fiamma bassa fino a che non si inspessisce. Togliere dal fuoco e incorporarvi la scorza grattugiata dei 2 limoni e il succo di uno mescolando bene. Montare gli albumi con un pizzico di sale e lo zucchero rimasto in modo che diventino ben sodi, quindi unire la crema e mescolare delicatamente con una spatola, dal basso verso l'alto, fino a ottenere un composto omogeneo. Suddividere il composto ottenuto in 6-8 stampi precedentemente imburrati e inzuccherati, riempiendoli fino a circa 1 cm dall'orlo. Cuocere in forno già caldo a 180° per 8 minuti, sfornarli, spolverizzarli con poco zucchero a velo e servirli subito.

DOLCETTI DI VERDURA

Quando Paolo Quilici, un autore televisivo, mi ha proposto di fare questi muffin dolci con la verdura sono rimasta un po' perplessa. Con la verdura? Li ho provati e mi hanno conquistato. Anche se nell'impasto ci sono le zucchine, il gusto è dolce e gradevolissimo. Provateli e stupirete i vostri ospiti.

Per 20-22 dolcetti
- 350 g di farina
- 230 g di zucchero di canna
- 150 g di zucchine
- 150 g di carote
- 120 ml d'olio di semi di girasole
- 80 ml di latte
- 3 uova
- cannella qb
- zenzero in polvere qb
- 1 bustina di lievito per dolci
- sale

Per la glassa
- 500 g di formaggio spalmabile
- 250 g di zucchero a velo
- succo di limone qb

Setacciare la farina con il lievito, la cannella, il sale e lo zenzero. Sbattere in una larga terrina il latte con l'olio, lo zucchero e le uova. Tritare le verdure separatamente, facendo in modo che siano ben asciutte per evitare di ottenere dolcetti troppo umidi. Mescolare il mix di farina con gli ingredienti umidi, quindi incorporare in metà impasto le carote e nell'altra le zucchine. Distribuire l'impasto a cucchiaiate nei pirottini di carta da inserire poi negli stampi per muffin di alluminio (se non usate i pirottini di carta allora imburrate e infarinate la formina da muffin che entrerà in contatto con l'impasto) e cuocere in forno a 170° per 8-10 minuti o fino a quando la superficie non risulterà dorata. Nel frattempo mescolare lo zucchero a velo con il formaggio spalmabile, aggiungendo poco per volta il succo di limone (si può fare con la frusta a mano o con quella elettrica). Mettere una bella cucchiaiata di questo composto su ogni dolcetto una volta cotto e raffreddato.

Per diversificare i dolcetti aggiungete sulla glassa delle fettine sottilissime di carote e zucchine.

MONT BLANC

Ricordo ancora il giorno in cui ho preparato il mio splendido Mont Blanc. Ne ero così fiera, ma ecco che a un certo punto la mia montagna ha cominciato a inclinarsi e più cercavo di raddrizzarla più mi rimaneva appiccicata alle mani e crollava. La morale di questa storia è... non fate il Mont Blanc troppo alto!

Per 6-8 persone
- 800 g di castagne precotte
- 500 ml di panna fresca
- 200 g di zucchero
- 25 g di cacao amaro in polvere
- $\frac{1}{2}$ bicchiere di latte
- 3 cucchiai di zucchero a velo
- 1 cucchiaio di rum

Sbollentare le castagne nell'acqua in modo da ammorbidirle ulteriormente, passarle al passaverdure e tenerle da parte. Scaldare il latte fino a raggiungere il bollore poi sciogliere dentro lo zucchero e il cacao amaro setacciato, unire anche il rum e versare il tutto nel composto alle castagne mescolando bene. Trasferire in frigorifero a raffreddare. Ripassare l'impasto ottenuto in uno schiacciapatate e farlo cadere sofficemente sul piatto da portata in modo da creare la forma di un monte (ricordatevi di non farlo troppo alto). Montare la panna con lo zucchero a velo e decorare il dolce a piacere.

VOULEZ-VOUS

Per un buffet, al posto dei soliti pasticcini che tra l'altro costano sempre un occhio della testa, i voulez-vous sono una bella trovata. La crema al mascarpone è facile da fare e piace sempre a tutti, mentre la guarnizione può cambiare a seconda dei gusti e delle stagioni. Io adoro le fragole e i frutti di bosco, ma durante l'inverno potete utilizzare anche i marron glacé o le scaglie di cioccolato.

Per 8 tartellette
- 1 rotolo di pasta sfoglia
- 1 uovo
- 50 g di marmellata di albicocche
- 2 cucchiai di zucchero

Per la crema
- 150 g di mascarpone
- 1 uovo
- 2 cucchiai di zucchero

Per completare
- frutta fresca qb
- zucchero a velo qb
- mandorle a scaglie qb

Ricavare dalla pasta sfoglia dei dischi usando un tagliabiscotti del diametro di circa 6 cm. Mettere metà dei dischi di sfoglia ottenuti sulla teglia foderata di carta da forno. Con un tagliabiscotti leggermente più piccolo (io solitamente uso il tappo dell'acqua!) ritagliare l'interno dei dischi rimanenti creando degli anelli, sistemarli sopra i dischi più grandi già posizionati sulla teglia e spalmare l'interno con la marmellata di albicocche. Spennellare il bordo rimasto con dell'uovo sbattuto, spolverizzare di zucchero poi infornare a 180° e cuocere per circa 8-10 minuti: devono colorirsi un po'. Farli raffreddare. Per la crema, mescolare il tuorlo dell'uovo (conservare l'albume) con lo zucchero, incorporare il mascarpone e poi l'albume montato a neve. Mettere una cucchiaiata abbondante di crema al mascarpone su ogni tartelletta e decorare con la frutta fresca. Prima di servire cospargere con le mandorle a scaglie e con lo zucchero a velo.

LINGUE DI GATTO CON CREMA LODIGIANA

Le lingue di gatto sono dei biscottini sottili e golosissimi che vanno perfettamente a braccetto con una crema. In questa ricetta li ho voluti preparare con il cacao. Per variare un po' li ho serviti con una deliziosa crema lodigiana, fatta di uova e mascarpone.

- 90 g di zucchero
- 65 g di burro
- 60 g di farina
- 1 uovo
- 1 cucchiaio di cacao amaro in polvere
- sale

Per la crema lodigiana
- 200 g di zucchero
- 200 g di mascarpone
- 3 uova
- brandy qb

Per la crema lodigiana: dividere i tuorli dagli albumi, sbattere i primi con lo zucchero, aggiungere il mascarpone amalgamando bene e poi unire il brandy. Montare a parte gli albumi, incorporarli al composto mescolando dal basso verso l'alto, quindi trasferire la crema in frigorifero perché va servita ben fredda. Preparare le lingue di gatto mescolando lo zucchero al burro sciolto. Unire l'uovo e in ultimo la farina con un pizzico di sale e il cacao setacciati, amalgamando gli ingredienti con un cucchiaio o una frusta fino a ottenere una crema omogenea. Foderare una teglia di carta da forno, prendere un po' d'impasto sulla punta del cucchiaio e stenderlo sulla carta formando una striscia larga meno di 2 dita e lunga come un mignolo. Ripetere l'operazione fino a esaurire l'impasto creando i biscotti distanti gli uni dagli altri. Trasferire in forno a 180° e cuocere per circa 5 minuti o non appena i bordi diventano dorati. Lasciarli indurire e raffreddare prima di staccarli dalla teglia. Servire la crema accompagnata dalle lingue di gatto.

Potete arricchire le lingue di gatto guarnendole con delle lamelle di mandorle prima di cuocerle.

BLACK BOTTOM CUPCAKE

Questi cupcake hanno una sorpresa: invece di essere decorati con una glassa visibile e colorata, nascondono un cuore morbido di crema al formaggio. Ogni morso sarà una dolcissima sorpresa. Grazie Dalila!

Per 15 cupcake
- 200 g di farina
- 200 g di zucchero
- 30 g di cacao amaro in polvere
- $1/2$ bustina di vanillina
- 250 ml d'acqua
- 1 cucchiaino di sale
- 1 cucchiaino di bicarbonato di sodio
- 1 cucchiaino di aceto di vino bianco

Per la crema
- 250 g di formaggio spalmabile
- 50 g di zucchero
- 1 uovo

Preparare la crema amalgamando il formaggio con lo zucchero e l'uovo. Per l'impasto dei cupcake mescolare la farina con lo zucchero, poi unire il cacao setacciato e la vanillina e infine aggiungere l'acqua, il sale, il bicarbonato setacciato e l'aceto. Posizionare i pirottini di carta negli stampi per cupcake, poi riempirli per metà con il composto al cacao, disporvi sopra un cucchiaio di crema al formaggio e infine richiudere con un'altra cucchiaiata di composto. Cuocere in forno per 12-15 minuti a 180°.

GNOCCHI DOLCI

Io amo tantissimo gli gnocchi, di tutti i tipi. Ma quelli dolci non li avevo mai assaggiati prima! Quanto tempo sprecato senza aver gustato questa prelibatezza... prima fritta poi tuffata nel miele aromatizzato all'arancia. Provate a servirli come dessert, sarà un finale di serata originale e buonissimo.

Per 4-6 persone
- 250 g di farina
- 150 g di miele
- 100 ml di vino moscato
- 1 arancia non trattata
- 6 cucchiai d'olio extravergine
- $1/2$ bustina di lievito per dolci
- olio di semi

Lavorare la farina con il lievito, l'olio, il vino e la scorza grattugiata di mezza arancia fino a ottenere un impasto omogeneo, quindi ricavarne dei bastoncini piuttosto spessi e tagliare gli gnocchi. Fare sciogliere a fiamma vivace il miele assieme al succo dell'arancia e togliere dal fuoco. Friggere gli gnocchi nell'olio di semi, scolarli e tuffarli subito nel miele. Rigirarli per un minuto per farli impregnare del tutto e servirli ben caldi.

MAGIA DI NATALE

Questo è un vero lavoretto buonissimo da fare con i bambini a Natale. È un po' come lavorare il pongo... ma molto più goloso. Nei giorni che precedono il 25 dicembre ritagliarsi un po' di tempo in cucina con loro è davvero rilassante e dolce... in tutti i sensi. Grazie a Maria Paola Carcaterra, esperta di dolci, per questa bella idea.

- 150 g di nocciole tostate e pelate
- 150 g di zucchero
- qualche cucchiaio di cacao amaro in polvere
- 125 g di zucchero a velo
- 150 g di cioccolato fondente
- essenza di vaniglia qb
- miele qb
- farina di cocco qb
- ribes qb

Tritare le nocciole con lo zucchero fino a ottenere una farina finissima, quindi aggiungere qualche goccia di essenza di vaniglia e acqua sufficiente a rendere il composto morbido e malleabile come il pongo. Prelevare delle piccole quantità d'impasto, lavorarle sul piano leggermente spolverizzato di cacao amaro e dare forma ai cioccolatini: potete fare delle palline o delle forme più originali a vostra scelta. Far asciugare in frigo per 30 minuti circa, poi sistemare i cioccolatini su una gratella e spennellarli con il cioccolato fuso oppure con una glassa all'acqua ottenuta aggiungendo poco alla volta qualche goccia d'acqua allo zucchero a velo in modo da avere una crema densa e appiccicosa. Far asciugare i cioccolatini in frigo. Per la presentazione, sistemarli su un piatto da portata mettendo sotto ciascuno un mucchietto di farina di cocco e decorare con qualche ribes rosso. Procurarsi delle piccole ciotoline di vetro, con un pennellino intinto nel miele sporcare qua e là le ciotoline e farvi aderire qualche fiocco di farina di cocco per l'effetto neve. Sistemare le ciotoline capovolte sui cioccolatini a mo' di palle di neve.

ROTELLE AL CIOCCOLATO

Questa specie di rotolo di pan di Spagna è mille volte più goloso perché è già porzionato e ogni fetta è glassata con uno strato di cioccolato e uno di cocco.

Per 4-6 rotelle
- 300 g di Nutella
- 100 g di cioccolato fondente
- 80 g di zucchero
- 70 g di farina
- 4 uova
- farina di cocco qb

Sbattere le uova con lo zucchero usando le fruste elettriche in modo da ottenere un composto spumoso che deve raddoppiare il suo volume. Aggiungere la farina setacciandola con un colino e mescolare delicatamente dal basso verso l'alto con un cucchiaio di legno o una spatola. Versare il composto in una placca di circa 30 x 40 cm rivestita di carta da forno e cuocere 10 minuti in forno a 180°: la superficie dovrà risultare dorata. Una volta pronto, ricoprire il pan di Spagna con un canovaccio umido e arrotolarlo per il lato lungo lasciando il canovaccio all'interno. In questo modo l'impasto non si seccherà e manterrà la forma arrotolata. Sciogliere il cioccolato a bagnomaria in un pentolino o nel microonde. Srotolare delicatamente il pan di Spagna e, dopo aver tolto il canovaccio, farcirlo con la Nutella, arrotolarlo di nuovo e tagliarlo a fette spesse. Intingere solo un lato di ogni rotella nel cioccolato fuso e poi nella farina di cocco. Lasciar indurire e servire.

TIRAMISÙ ALLE FRAGOLE

Ecco un tiramisù super estivo pieno di fragole, formaggio magro e yogurt. Una valida alternativa alla versione classica.

Per 4-6 persone
- 300 g di robiola
- 100 g di yogurt greco
- 2 uova
- 6 cucchiai di zucchero
- Pavesini qb
- succo di pera qb
- 400 g di fragole

Per decorare
- fragole qb
- zucchero a velo qb

Sbattere i tuorli con 4 cucchiai di zucchero. A parte amalgamare la robiola allo yogurt, montare a neve gli albumi con 2 cucchiai di zucchero e poi mescolare i 3 composti per ottenere la crema al formaggio. Immergere i Pavesini nel succo di pera e disporli in un solo strato in una teglia, coprirli con la crema al formaggio, distribuirvi sopra le fragole tagliate a fettine sottili, poi ancora Pavesini inzuppati, crema e fragole. Decorare con fragole fresche e zucchero a velo.

WHOOPIE PIES

Sapete perché queste deliziose tortine americane si chiamano "whoopie pies"? Perché quando le si assaggia non si può resistere dall'esclamare estasiati «Whoopie!».

Per 20 whoopie pies
- 260 g di farina
- 200 g di zucchero
- 160 ml di yogurt al miele
- 115 g di burro
- 90 ml di latte
- 50 g di cacao amaro in polvere
- 1 uovo
- 1 $\frac{1}{2}$ cucchiaino di bicarbonato di sodio
- $\frac{1}{2}$ cucchiaino di sale

Per farcire
- 225 g di formaggio spalmabile
- 100 g di zucchero a velo

Sbattere l'uovo con lo zucchero, unire il burro sciolto, lo yogurt e il latte. Aggiungere la farina, il bicarbonato setacciato, il sale e in ultimo anche il cacao setacciato, mescolando bene. Su una placca ricoperta di carta da forno stendere con il cucchiaio dei dischi d'impasto grandi circa come il diametro di un bicchiere, quindi cuocere a 180° per 12 minuti. Nel frattempo preparare la farcia mescolando il formaggio e lo zucchero a velo. Stendere la crema su un biscotto e richiudere con un altro formando dei piccoli sandwich.

La ricetta originale prevede anche 50 g di burro nella farcia: per me risulta un po' pesante ma voi potete sempe provare.

ARRUBIOLU

Questa ricetta sarda mi ricorda tanto le seadas in cui il gusto del miele e del formaggio si sposano magnificamente con quello dell'arancia. In questo caso però si tratta di piccole golosissime polpette, fritte e ripassate nel miele aromatizzato all'arancia.

Per 30 arrubiolu
Per la glassa
• 200 g di miele
• scorza di 1 arancia
  non trattata

Per l'impasto
• 200 g di ricotta
• 150 g di formaggio
  primo sale
• 110 g di semola rimacinata
  di grano duro + qb
  per infarinare
• 60 g di zucchero
• 2 tuorli
• scorza di 1 arancia
  non trattata
• scorza di 1 limone
  non trattato
• 1 bustina di zafferano

Per friggere
• olio di semi

Per la glassa, prelevare la scorza dell'arancia evitando la parte bianca e amara, scaldarla con il miele in un pentolino e fare sobbollire leggermente per pochi minuti poi spegnere. Per l'impasto, frullare la ricotta con il primo sale, aggiungere la scorza grattugiata dell'arancia e del limone, poi lo zucchero, i tuorli e frullare ancora. Infine unire lo zafferano e la semola, continuando a frullare. Con il composto ottenuto formare delle polpettine, ripassarle nella semola e friggerle. Ricoprirle con il miele aromatizzato all'arancia e servire.

MANDARINI SPUMOSI

Questa mousse di mandarino è davvero eccellente! Ha un gusto cremoso ma anche leggermene aspro e fresco. In più, presentata dentro ai frutti, è anche molto bella da portare a tavola. Perfetta dopo un lungo e sostanzioso pranzo di Natale o Capodanno.

Per 10 persone
• 10 mandarini
• 100 g di zucchero
• 100 ml di latte
• 150 ml di panna fresca
• 45 g di farina
• 1 uovo
• 1 tuorlo

Tagliare a metà i mandarini, svuotarli dalla polpa aiutandosi con un coltellino e un cucchiaio e tenere da parte le scorze vuote. Eliminare i semi dagli spicchi, frullarli, filtrarli in un colino e raccoglierne il succo. In un pentolino sbattere lo zucchero con l'uovo, il tuorlo e la farina, stemperare il composto con il latte e il succo dei mandarini. Cuocere la crema a fuoco dolce, mescolando fino a ebollizione. Una volta che la crema si è addensata farla raffreddare. Montare la panna e incorporarla alla crema. Versare la mousse ottenuta nei gusci dei mandarini tenuti da parte. Fare raffreddare in frigorifero qualche ora e guarnire con un topping all'amarena o una cucchiaiata di marmellata oppure un lampone.

PBJ MUFFIN

Questi muffin si chiamano così perché "pb" sta per peanut butter *cioè il burro di arachidi... una bontà amata in America e in Inghilterra che invece in Italia non è molto apprezzata. A Londra, da ragazzina, ero impazzita per i super sandwich con la marmellata di fragole e il burro di noccioline. Non inorridite: è delizioso. Con lo stesso golosissimo principio sono nati questi muffin che hanno il mitico burro di arachidi (pb) e un cuore dolce di marmellata (j di* jam*). Se poi siete bravi come Dalila, potete anche decorare i vostri dolcetti con la pasta di zucchero.*

Per 15-20 muffin
- 250 g di farina
- 250 g di zucchero
- 130 g di burro di arachidi
- 180 ml di latte
- 1 uovo
- 1 bustina di lievito
  per dolci
- marmellata di fragole qb

Per guarnire
- zucchero a velo qb
- pasta di zucchero
  rossa e verde qb

Sbattere il burro di arachidi con lo zucchero e l'uovo. Aggiungere il lievito setacciato alla farina. Unire il latte e la farina al composto di burro di arachidi versandoli poco alla volta e mescolando bene, poi trasferire l'impasto negli stampini da muffin rivestiti con i pirottini di carta e cuocere in forno a 180° per 12-15 minuti. Lasciare raffreddare leggermente poi bucare i muffin usando un levatorsolo e farcirli con la marmellata. Servire spolverizzati di zucchero a velo e con fragoline realizzate con la pasta di zucchero.

Usate lo scarto di muffin per preparare i cake pops di p. 251

TORTA VERDE DI PISTACCHI

Quando mio figlio Diego vede una torta, prima di assaggiarla chiede sempre: «Ma è una torta di Antonia, vero?». «Certo» rispondiamo noi in ogni caso. e allora lui la mangia felice! In effetti la mia carissima amica Antonia è una vera esperta di torte, ne sforna in continuazione. Se c'è una festa nei dintorni si può star certi che lei ha portato una sua specialità. Per il mio nuovo libro mi ha insegnato a prepararne una verde fatta di pistacchi e cioccolato, resa leggera dallo yogurt ma golosa dalla glassa... Una delizia! Sfido io. è una torta di Antonia!.

- 300 g di farina
  + qb per la tortiera
- 300 g di zucchero
- 250 ml di yogurt bianco
- 150 g di pistacchi
- 125 ml d'olio di semi
  di arachidi
- 100 g di gocce
  di cioccolato
- 3 uova
- 1 bustina di vanillina
- 1 bustina di lievito
  per dolci
- burro qb

Per la copertura
- 250 g di gocce
  di cioccolato
- granella di pistacchi qb

Mescolare l'olio con lo zucchero, aggiungere la vanillina e montare con le fruste. Unire le uova, uno alla volta, e gradualmente anche la farina, quindi lo yogurt, i pistacchi tritati, le gocce di cioccolato e il lievito setacciato. Trasferire il composto in una tortiera da 24-25 cm di diametro, imburrata e infarinata e cuocere a 175° in forno ventilato per 45 minuti. Per la ganache di copertura, sciogliere le gocce di cioccolato, ricoprirvi la torta raffreddata e completare con granella di pistacchi.

TORTA ROSA DI CAROTE

Sono molto affezionata a questa torta perché mi è stata insegnata da una vera regina dei fornelli, Wilma De Angelis!

- 250 g di carote
- 250 g di fecola di patate
- 150 g di mandorle pelate
- 150 g di zucchero
- 3 uova
- succo di limone qb
- 1 bustina di lievito
  per dolci
- farina qb
- burro qb
- zucchero a velo qb
- sale

Pelare e tritare le carote nel mixer, quindi metterle in una terrina e bagnarle col succo di limone per non farle annerire. Tritare le mandorle con lo zucchero e mescolarle alle carote, unire poi la fecola di patate, i tuorli, uno alla volta, il lievito setacciato e un pizzico di sale e amalgamare bene. Montare gli albumi e aggiungerli per ultimi mescolando dal basso verso l'alto. Versare il tutto in una tortiera di circa 25 cm di diametro imburrata e infarinata oppure foderata di carta da forno, e cuocere 50 minuti a 180°. Completare con una spolverata di zucchero a velo.

FREGOLOTTA

Una torta veneta simile a una sbrisolona ma più leggera. Grazie a Roberta Noè, giornalista sportiva e cara amica che, in onore della sua mamma, l'ha cucinata per me!

- 200 g di mandorle pelate
- 200 g di zucchero
- 200 g di farina
- 2 tuorli
- 2 cucchiai di panna montata
- uva bianca, violette candite e cioccolatini qb
- burro qb
- sale

Mescolare le mandorle tritate con 3 cucchiai di zucchero. Disporre la farina a fontana, mettere al centro il composto di mandorle e zucchero, i tuorli, la panna, lo zucchero rimanente e un pizzico di sale. Lavorare l'impasto con le mani fino a ottenere delle briciole. Trasferirle in una teglia imburrata e premerle leggermente con le mani: il dolce deve essere alto circa 1 cm. Cuocere in forno a 180° per mezz'ora o comunque fino a quando la superficie non sarà dorata. Spezzettare la torta con le mani e servire la fregolotta fredda con decorazioni di uva bianca, violette candite e cioccolatini.

TORTA DI PESCHE DI CATERINA

Questa torta leggerissima è una specie di clafoutis perfetto per le merende e i dessert d'estate. Pochissime calorie e molto gusto. Grazie a Caterina Varvello, cara amica e giornalista che l'ha condivisa con me.

- 750 g di pesche sbucciate e tagliate a fettine o pesche sciroppate
- 400 ml di latte
- 200 g di zucchero
- 3 uova
- 4 cucchiai di farina

Mettere a scaldare il latte. Intanto sbattere le uova con lo zucchero e la farina, quindi amalgamare il tutto con il latte versato a filo e unire anche le pesche a fettine. Mettere il composto in una teglia rivestita con la carta da forno e cuocere per un'ora a 180°.

LEMON DRIZZLE CAKE

Questo particolare plum cake al limone è il più buono che io abbia mai mangiato! Merito dello sciroppo che rende l'impasto soffice, umido e irresistibilmente aromatizzato al limone. Provatelo per merenda e a colazione. Non vedrete l'ora di alzarvi!

- 220 g di farina
  + qb per lo stampo
- 100 g di burro morbido
  + qb per lo stampo
- 100 g di zucchero
- ³/₄ di bicchiere di latte
- 3 uova
- 1 bustina di lievito
  per dolci
- 1 limone non trattato

Per lo sciroppo
- 100 g di zucchero
- 20 ml d'acqua
- 1 limone non trattato

Montare il burro con lo zucchero, il succo di limone e la sua scorza grattugiata. Sbattere le uova con il latte e poi aggiungere la farina con il lievito. Amalgamare insieme i 2 impasti, versarli in uno stampo da plum cake imburrato e infarinato (io alla farina mischio anche dello zucchero di canna) e cuocere in forno a 180° per circa 40-45 minuti. Mentre la torta è in forno, spremere il succo di limone e grattugiarne la scorza, mettere tutto in un pentolino con l'acqua e lo zucchero, far bollire per qualche minuto e poi lasciare raffreddare. Quando il plum cake è tiepido, bucarlo più volte con uno stecchino lungo, versarci sopra lo sciroppo e far raffreddare nello stampo prima di sformarlo e servirlo.

TORTA DI RICOTTA E CIOCCOLATO BIANCO

Questa torta a casa mia è diventata quasi un tormento... e sì, perché è il dolce che preparo quando ho una cena o voglio fare bella figura. La mia famiglia ovviamente non ne può più, ma io la adoro! Il merito è di Paolo Quilici. Sapete la cosa buffa? Anche lui è entrato in questo tunnel e ogni volta che riceve un invito è costretto a farla e portarla agli amici. Dunque siete avvertiti, questi sono i rischi se decidete di cucinarla!

- 1 rotolo di pasta frolla
- 700 g di ricotta
- 300 g di cioccolato bianco
- 150 g di lamponi
- 1 cucchiaino di cannella

Stendere la frolla in uno stampo di 20-22 cm foderato di carta da forno, bucherellare il fondo, coprire con altra carta e fagioli secchi e infornare a 180° per 20 minuti. Eliminare la carta e i fagioli e cuocere per altri 10 minuti o finché la pasta non risulta dorata, quindi sfornare e lasciare raffreddare. Versare la ricotta in una terrina, profumare con la cannella e lavorare con una spatola fino a ottenere una crema liscia. Spezzettare il cioccolato bianco e farlo fondere a bagnomaria con qualche cucchiaio d'acqua, togliere dal fuoco, lasciare raffreddare per qualche minuto, quindi mescolarlo alla ricotta. Sistemare i lamponi sul fondo della crostata, conservandone alcuni per la decorazione. Versare la crema di ricotta e cioccolato livellandola bene e decorare con i lamponi tenuti da parte. Conservare in frigorifero per almeno 4 ore prima di servire. È ancora più buona se la si lascia riposare una notte.

CIAMBELLONE AL COCCO
E CIOCCOLATO BIANCO

In ogni mio libro ci deve essere la ricetta di un ciambellone di Francesca La Torre, che è la mia truccatrice, carissima amica e ottima cuoca. Quest'anno la sua proposta è particolarmente golosa: impasto al cocco con glassa di cioccolato bianco e codette di cioccolato fondente.

Per 8 persone
- 300 g di zucchero
- 200 g di burro morbido
  + qb per lo stampo
- 150 ml di latte
- 150 g di farina 00
  + qb per lo stampo
- 150 g di farina di cocco
- 3 uova
- 1 bustina di lievito
  per dolci

Per guarnire
- 200 g di cioccolato bianco
- 2 cucchiai di latte
- codette di cioccolato nero
  qb

Mettere tutti gli ingredienti nel vaso del mixer da cucina e azionare fino a ottenere una crema. In alternativa gli ingredienti si possono mescolare con un cucchiaio in una ciotola. Imburrare e infarinare uno stampo da ciambella, versarci l'impasto e cuocere a 180° per 40-45 minuti. Fondere il cioccolato bianco con il latte e ricoprire completamente con questa glassa la ciambella. Quando il cioccolato è ancora caldo distribuire le codette di cioccolato nero per guarnire.

Il cocco non farà lievitare tanto la vostra ciambella ma la renderà umida e saporita. Viva Eleonora che mi aiuta sempre!

BISCOTTI DI HALLOWEEN

*I biscottini di Halloween sono un rito divertente e irrinunciabile della notte delle streghe.
Ammetto che da quando Dalila è entrata nella mia cucina, la qualità dei miei dolcetti è
notevolmente migliorata. Ecco i suoi semplici ma utilissimi consigli.*

Per 15-20 biscotti
Per la frolla
- 300 g di farina + qb
  per stendere
- 150 g di zucchero
- 150 g di burro
- 1 uovo
- 1 bustina di vanillina
- sale

Per decorare
- 400 g di pasta
  di zucchero di vari colori
- zucchero a velo qb
- palline argentate
  e dorate qb
- zuccherini colorati qb
- stelline qb

Mettere nel mixer tutti gli ingredienti della frolla, frullare fino a
ottenere un panetto, lavorarlo ancora brevemente con le mani
e poi farlo riposare in frigo avvolto nella pellicola per circa 15
minuti. Stendere la frolla con il mattarello aiutandosi con un po'
di farina e ritagliare delle formine rotonde o a goccia, cuocerle su
una placca ricoperta di carta da forno per circa 10 minuti a 180°
e lasciarle raffreddare. Nel frattempo stendere con il mattarello
la pasta di zucchero colorata aiutandosi con un po' di zucchero
a velo, ritagliare la stessa forma del biscotto e attaccare la pasta
di zucchero sul biscotto spennellandola con un goccio d'acqua.
Decorare ulteriormente la pasta di zucchero con palline, stelline o
altro usando l'acqua come collante.

PUMPKIN PIE

*Questa è la classica torta che si serve il giorno di Halloween. Naturalmente è fatta con la zucca e
tante spezie pungenti e irresistibili. Io la adoro. Peccato che la notte delle streghe arrivi solo una
volta l'anno!*

- 1 rotolo di pasta brisée
- 380 g di polpa di zucca
- 360 g di latte condensato
- 100 g di zucchero
  di canna
- 3 uova
- 2 chiodi di garofano
- 1 cucchiaio di amido
  di mais
- 1 cucchiaino di zenzero
  in polvere
- 1 cucchiaino di cannella
- burro qb
- sale

Tagliare a pezzi la zucca e cuocerla in forno a 180° per circa 20
minuti finché non diventa morbida. Se rischia di bruciare, coprirla
con l'alluminio. Mescolare lo zucchero con l'amido di mais, un
pizzico di sale, lo zenzero, la cannella, i chiodi di garofano pestati,
la polpa di zucca frullata (oppure schiacciata con la forchetta) e le
uova, amalgamare bene e incorporare anche il latte condensato.
Stendere la pasta brisée nella tortiera precedentemente imburrata
e farcirla con il composto di purè di zucca. Infornare per 10
minuti a 220°, poi abbassare la temperatura a 180° e lasciare
cuocere ancora mezz'ora.

CRUMBLE CON GELATO

Questo crumble è buonissimo e si può mangiare anche da solo a cucchiaiate! La morte sua però è sul gelato o lo yogurt. Grazie a Tiziano Margarito. chef di Villa Carmelita a Carpeneto che mi ha dato la ricetta.

Per 6 persone
- 350 g di farina
- 250 g di zucchero
- 250 g di burro
- 125 g di nocciole
- 3 tuorli
- 70 g di cacao amaro in polvere

Per completare
- gelato alla crema qb

Frullare le nocciole con lo zucchero, aggiungere il burro a fiocchetti, la farina e lavorare il tutto con le mani in modo da creare un composto sabbioso. Unire i tuorli e il cacao setacciato e impastare sempre con le mani: alla fine si dovranno ottenere delle grosse briciole. Cospargele su una placca coperta di carta da forno, far riposare il crumble nel frigo per 2 ore, poi cuocere a 150° in forno ventilato per mezz'ora o finché non diventa ben dorato e croccante. Servirne una bella manciata sul gelato alla crema.

TORTA DI MORE

Questa torta è assolutamente divina non solo nel gusto ma anche nell'aspetto. Quando la taglierete rimarrete incantati da una cascata di more che inonderà il vostro piatto.

- 700 g di more
- 300 g di farina
- 200 g di zucchero
- 150 g di biscotti secchi
- 150 g di burro
- 1 uovo
- 1 tuorlo
- scorza di 1 limone non trattato
- noce moscata qb
- cannella qb
- zucchero a velo qb
- sale

Riunire nel mixer la farina con un pizzico di sale, il burro a dadini e metà dello zucchero quindi azionare finché non si forma un composto a briciole. Aggiungere l'uovo e il tuorlo, frullare ancora per qualche secondo fino a ottenere una palla d'impasto, avvolgerla nella pellicola per alimenti e farla riposare in frigo per mezz'ora. Questa pasta frolla si può ottenere anche impastandola con le mani. Mescolare le more con lo zucchero rimasto, le spezie e la scorza del limone grattugiata. Tritare i biscotti. Dividere la pasta frolla in 2 parti, stenderne una con il mattarello mettendo sotto la carta da forno. Rivestire con l'impasto uno stampo del diametro di 20 cm, lasciando sotto la carta da forno, bucherellare il fondo con una forchetta, cospargerlo con i biscotti, versarvi sopra le more e chiudere con il secondo disco di impasto steso nella stessa maniera. Sigillare i bordi, bucherellare la superficie in più punti e cuocere il dolce a 200° per circa 45 minuti. Sformare la torta, cospargerla di zucchero a velo e servire.

PAVLOVA VELOCISSIMA

La Pavlova è un dolce di origine australiana formato da una base di meringa ricoperta da uno strato di panna e poi da tanta frutta fresca. Si narra che fu creato da un famoso chef di Wellington in onore della celebre ballerina russa Anna Pavlova vissuta a cavallo tra l´Ottocento e il Novecento. Io non ho grande dimestichezza con le meringhe e infatti non mi ero mai azzardata a prepararla prima di ricevere questa furbissima ricetta di Walter Valente. Vedrete che figurone con pochissima fatica! Ci sono due modi di gustarla: se volete mantenere la meringa croccante farcitela all'ultimo momento, se invece vi piace che s'impregni di sapori e si ammorbidisca, fatela riposare già guarnita in frigorifero. In ogni caso, non rinunciate al frutto della passione: è il gusto che gli dà un tocco davvero speciale.

- 6 albumi
- 500 ml di panna fresca
- 250 g di zucchero
- 1 cucchiaio di aceto di vino bianco
- 1 fialetta di aroma alla vaniglia
- 2 cucchiaini di farina per polenta istantanea
- 2 frutti della passione
- frutti di bosco qb
- fragole qb

Montare a neve gli albumi aggiungendo poco per volta lo zucchero, poi l'aceto, l'aroma di vaniglia e la farina di polenta. Una volta che il composto è ben montato trasferirlo su una placca ricoperta di carta da forno e spalmarlo dolcemente su tutta la superficie rettangolare. Infornare a 150° per circa un'ora, poi lasciare raffreddare. Prima di servire completare con uno strato abbondante di panna fresca montata e guarnire con frutti di bosco, fragole e la polpa dei frutti della passione.

TORTA DI POLENTA AL LIMONCELLO

Adoro la consistenza scrocchiarella della farina di polenta. L'unione con il limone e le mandorle, poi, rende il tutto irresistibile. La farina di polenta è buonissima anche nelle preparazioni salate: provate a mescolarla al pangrattato per la panatura della carne, sarà una gradevolissima sorpresa.

- 275 g di burro
- 250 g di zucchero
- 200 g di mandorle pelate
- 100 g di farina per polenta istantanea
- 5 uova
- 2 cucchiai di limoncello
- 1 bustina di lievito per dolci
- 2 limoni non trattati
- zucchero a velo qb
- sale

Tritare le mandorle con lo zucchero e mescolarli in una ciotola con il burro fuso, la farina, il succo e la scorza grattugiata dei limoni, il limoncello e le uova. Unire il lievito setacciato e un pizzico di sale, versare l'impasto in una tortiera rivestita di carta da forno e cuocere la torta in forno a 170° per 50 minuti. Se necessario coprire la superficie con un foglio di alluminio in modo che non bruci. Lasciar raffreddare e servire completando con lo zucchero a velo.

TRECCIA DANESE

I dolci del Nord Europa sono molto golosi. Questa torta poi è davvero uno spettacolo! Quando la prepari ti sembra di essere un grande chef! Il gusto è quello di una brioche, non troppo dolce ma farcita con tanta marmellata. Guardate bene le foto e non sbaglierete un passaggio!

- 325 g di farina
- 125 ml di latte
- 60 g di burro
- 50 g di zucchero
- $\frac{1}{2}$ panetto di lievito di birra
- $\frac{1}{2}$ uovo
- scorza di arancia non trattata qb

Per farcire
- 250 g circa di marmellata di lamponi
- 50 g circa di mandorle a lamelle

Per completare
- $\frac{1}{2}$ uovo
- zucchero di canna qb

Stemperare il lievito nel latte, unire il burro e lo zucchero. Sbattere un uovo in una ciotola e unirne solo metà al composto (il resto verrà spennellato sulla torta), quindi aggiungere anche la scorza di arancia grattugiata e la farina. Impastare per un minuto fino a ottenere un bel panetto liscio, se risulta troppo appiccicoso aggiungere un po' di farina e lasciare lievitare coperto per un'ora. Trascorso questo tempo sopra un foglio di carta da forno (importante, altrimenti poi non lo muoverete più) stendere con il mattarello l'impasto allo spessore di circa 1 cm. Segnare con l'aiuto di uno stampo da plum cake e un coltello il contorno della treccia nel mezzo della pasta stesa e praticare quindi dei tagli obliqui e paralleli sui lati lunghi eccedenti il contorno. Farcire con la marmellata di lamponi e le mandorle solo l'interno del contorno disegnato e ripiegare i tagli di pasta formando appunto una treccia. Spennellare con l'altro mezzo uovo la torta, spolverizzarla con zucchero di canna, trasferirla con il suo foglio di carta da forno su una placca e cuocere per mezz'ora a 180°.

MUFFETTONI

Si chiamano così perché sono dei muffin che assomigliano al panettone. Sono buonissimi. facilissimi e bellissimi. Tutto al superlativo. Per noi a Natale sono diventati una tradizione imperdibile

Per 15-20 muffettoni
- 250 g di farina
- 100 ml di latte
- 100 g di zucchero
- 50 g di burro + qb
  per gli stampini
- 50 g di pinoli
- 50 g di uva passa
- 50 g di canditi
- 1 uovo
- 1 bicchierino di Marsala
  secco
- ½ bustina di lievito
  per dolci
- scorza di ½ arancia
  non trattata
- zucchero a velo qb

Sbattere l'uovo con lo zucchero e il Marsala, unire il burro sciolto, il latte, la farina, il lievito setacciato e continuare a mescolare. Infine aggiungere all'impasto anche i pinoli, l'uva passa, i canditi e la scorza d'arancia grattugiata. Se preferite potete mettere tutti gli ingredienti nel mixer e frullare per qualche minuto per ottenere lo stesso tipo di impasto. Imburrare gli stampi dei muffin e foderarli con una striscia di carta da forno leggermente più alta del bordo, in modo che lievitando non colino fuori. Versare il composto negli stampini riempiendoli quasi fino all'orlo e cuocere a 180° per 30 minuti circa. Lasciare intiepidire e servire con una spolverata di zucchero a velo.

SOUFFLÉ CIOCCOZUCCA

Per una grande appassionata di zucca come me. provare a fare dei muffin dolci con questo ortaggio e il cioccolato è stata una piacevolissima sfida. Sentirete come sono buoni, soffici e leggermente aromatizzati.

Per 15-20 soufflé
- 250 g di polpa di zucca
- 100 g di zucchero + qb
  per gli stampini
- 100 g di burro + qb
  per gli stampini
- 25 g di cacao amaro
  in polvere
- 4 uova
- 4 cucchiai di farina
- 1 bustina di vanillina
- sale

Tagliare la polpa di zucca a fette, adagiarle in una teglia ricoperta di carta da forno e cuocere per 25 minuti a 180°, quindi frullare. Separare i tuorli dagli albumi e montare questi a neve. In un'altra ciotola sbattere i rossi d'uovo con lo zucchero, la farina, la vanillina e un pizzico di sale, poi aggiungere il cacao setacciato, il burro fuso e la zucca frullata. In ultimo incorporare gli albumi montati a neve. Versare il composto nelle cocottine monodose imburrate e ricoperte di zucchero e cuocere in forno per 25 minuti a 180°. Servire subito.

CAPPELLINI DI BABBO NATALE

Quanto amo questi dolcetti natalizi... peccato finiscano sempre così in fretta!

Per 12 cappellini
- 200 g di cioccolato fondente
- 160 g di zucchero a velo
- 120 g di burro salato
- 100 g di nocciole
- 70 g di farina
- 3 uova
- 1 bustina di lievito per dolci
- 12 fragole
- 1 confezione di panna da montare vegetale

Fondere il cioccolato con un goccio d'acqua in un pentolino. Sciogliere il burro nel microonde, amalgamarlo con lo zucchero, aggiungere le uova, poi versare la farina a pioggia e, continuando a mescolare, incorporare il cioccolato fuso, le nocciole tritate e il lievito setacciato. Riempire con questo impasto uno stampo da torta di 26 cm di diametro rivestito di carta da forno e infornare per 25 minuti a 180°. Eliminare la parte superiore delle fragole, quella con il ciuffo verde. Una volta che il dolce è ben raffreddato, con un coppapasta o un bicchiere tagliare dei dischetti di torta grandi più o meno come le fragole. Montare la panna. Guarnire ogni dischetto con uno strato di panna montata, la fragola rovesciata a mo' di cappello e un ciuffo di panna in cima.

STRUDEL DI MELE

Quando ho assaggiato per la prima volta lo strudel di Markus al Delicatessen di Milano mi sono quasi commossa! Una frolla sottilissima lo rende assolutamente unico.

Per la frolla
- 250 g di burro
- 250 g di zucchero a velo
- scorza di limone non trattato qb
- 2 uova e 1 tuorlo
- 1 bustina di vanillina
- 200 ml di latte
- 500 g di farina
- 1 bustina di lievito
- sale

Per il ripieno
- 600 g di mele golden
- 50 g di zucchero
- 50 g di uva passa
- 50 g di pangrattato
- 30 g di pinoli
- 1 bustina di vanillina
- 1 limone non trattato
- cannella qb
- 2 chiodi di garofano
- 1 cucchiaio di rum
- latte qb o 1 tuorlo per spennellare

Impastare il burro freddo a cubetti con lo zucchero a velo e la scorza di limone, quindi unire le uova, il tuorlo, un pizzico di sale, la vanillina e il latte poco per volta (se l'impasto è già morbido, non metterlo tutto). In ultimo aggiungere la farina e il lievito setacciato e impastare ancora fino a ottenere un panetto. Si può impastare tutta la pasta frolla anche nel mixer da cucina. Fare raffreddare la frolla in frigo, avvolta nella pellicola per alimenti, per una mezz'oretta. Intanto preparare il ripieno: sbucciare le mele e tagliarle a fettine sottili, mescolare con lo zucchero, l'uva passa, la vanillina, succo e scorza grattugiata di limone, i pinoli, la cannella, il pangrattato, i chiodi di garofano pestati e il rum. (Se si preferisce che le mele siano completamente sfaldate, spadellarle sul fuoco con tutti gli ingredienti tranne il pangrattato che va aggiunto quando il composto sarà freddo.) Stendere la frolla sopra un foglio di carta da forno con il mattarello, farcire con il ripieno e chiudere lo strudel come se fosse un pacchetto. Spennellare con latte o con un po' di rosso d'uovo e cuocere a 180° per 35 minuti. Servire lo strudel con lo zucchero a velo e gelato alla vaniglia.

CROSTATA DI FARINA GIALLA E MIRTILLI

Versione rivisitata della classica crostata. La farina di polenta dà a questo dolce una marcia in più.

Per la frolla
- 100 g di farina 00
- 100 g di farina fioretto
- 100 g di burro
- 50-60 g di zucchero
- 1 uovo
- $\frac{1}{2}$ bustina di lievito per dolci
- sale

Per farcire
- 400 g di mirtilli
- 50-60 g di zucchero
- 10 foglioline di menta
- 3 cucchiai di pangrattato

Per completare
- zucchero a velo qb

Preparare la frolla impastando le farine con lo zucchero e il burro freddo, il lievito setacciato, l'uovo e un pizzico di sale. Fare riposare mezz'ora in frigorifero avvolta nella pellicola per alimenti. Per la farcia, mescolare i mirtilli con lo zucchero e la menta. Stendere tre quarti di pasta e sistemarla in una tortiera di 22 cm di diametro foderata di carta da forno, bucherellare il fondo e aggiungere il pangrattato sulla base e la farcia di mirtilli. Con la frolla rimasta, preparare le strisce e sistemarle sulla torta formando una griglia. Cuocere la crostata a 200° per circa 35 minuti, lasciarla raffreddare, completare con zucchero a velo e servire.

TORTA VIRGINIA

Torta al cioccolato morbida e burrosa aromatizzata all'amaretto. Cosa dire di più?

- 200 g di burro
- 200 g di zucchero
- 160 g di farina
- 150 g di amaretti
- 100 g di cioccolato fondente
- 4 uova
- 1 bustina di lievito per dolci
- 1 bustina di vanillina
- gocce di cioccolato qb

Fondere il burro insieme al cioccolato in un pentolino con un po' d'acqua. Tritare gli amaretti finemente. Sbattere i tuorli con lo zucchero, aggiungere la farina e gli amaretti e poi il cioccolato e il burro fusi, continuando a mescolare. Montare a neve gli albumi e incorporarli delicatamente al composto con la vanillina, il lievito setacciato e le gocce di cioccolato. Versare l'impasto in una tortiera foderata di carta da forno e cuocere a 180° per 40 minuti circa.

TORTA AI FICHI E RICOTTA

Quando è stagione di fichi bisogna approfittarne. Purtroppo, infatti, questa torta deliziosa non si può gustare tutto l'anno! In campagna a Carpeneto abbiamo un grosso albero di fichi che è molto generoso. Quando sono in vacanza lì, adoro mangiare questi frutti ancora caldi appena staccati dall'albero insieme a una bella fetta di salame. Un accostamento dolce-salato assolutamente divino… ma forse sono andata un po' troppo fuori argomento visto che qui stiamo parlando di dolci!

Per la frolla
- 300 g di farina
- 100 g di zucchero
- 90 g di burro
- 70 ml di yogurt bianco
- 1 uovo
- ½ bustina di lievito per dolci
- sale

Per farcire
- 400 g di fichi
- 200 g di ricotta
- 90 g di zucchero
- 2 tuorli

Preparare la frolla: sbattere l'uovo con lo zucchero, unire un pizzico di sale, il burro morbido, lo yogurt e mescolare e quindi aggiungere la farina con il lievito setacciato e lavorare con la punta delle dita. Se l'impasto dovesse risultare troppo morbido, aggiungere un po' di farina. Formare una palla di pasta, avvolgerla in un foglio di pellicola per alimenti e far riposare in frigorifero per 30 minuti. Per la farcia, tagliare i fichi a spicchi e cuocerli in padella con lo zucchero finché non risultano caramellati. Mescolare la ricotta con i tuorli, poi aggiungere i fichi sgocciolati mescolando delicatamente con una spatola. Stendere la frolla sulla carta da forno e rivestire uno stampo di 28 cm di diametro lasciando sotto la carta. Bucherellare il fondo con una forchetta, farcire con il composto di ricotta e fichi, ripiegare la pasta eccedente verso il centro e cuocere la torta in forno già caldo a 180° per circa 30 minuti. Lasciare raffreddare, sformare e servire.

Attenzione: se decidete di usare la pasta frolla già pronta siate molto delicati quando la servite perché l'impasto, molto pesante, rischia di romperla.

MINI CHEESECAKE

Questa ricetta arriva dalla pediatra dei miei bambini, Valentina Bozzetti, grande appassionata di dolci e di cucina. Il giorno in cui li ha preparati con me è coinciso con la festa della squadra di pallavolo di Matilde. Peccato che mia figlia si fosse dimenticata di dirmelo e io non avevo preparato nulla per il buffet. Meno male che c'erano le mini cheesecake di Valentina... lo ammetto, le ho spacciate per una mia ricetta e ho fatto una splendida figura!

Per 12–15 cheesecake
Per la base
- 100 g di biscotti secchi
- 60 g di burro fuso
- 25 g di zucchero

Per la crema
- 500 g di formaggio spalmabile
- 100 g di zucchero
- 40 ml di panna fresca
- 20 g di farina
- 3 uova
- ½ fialetta di aroma alla vaniglia

Per completare
- marmellata, chicchi di melograno e zucchero a velo qb

Tritare nel mixer i biscotti secchi, aggiungere il burro fuso e lo zucchero. Rivestire la base dei pirottini di carta con il composto ottenuto e porre in frigo a raffreddare. In una grande ciotola montare il formaggio con lo zucchero e la farina, meglio se con le fruste elettriche sbattendo ad alta velocità per almeno 3 minuti. Aggiungere un uovo alla volta e amalgamare bene il tutto, quindi incorporare la panna e l'aroma di vaniglia. Prendere i pirottini dal frigo e inserirli nelle formine di alluminio da muffin (vanno bene anche quelle usa e getta). Versarvi dentro la crema e cuocere in forno per 15 minuti a 175°, poi abbassare la temperatura a 120° e cuocere per altri 60 minuti circa. Il dolce è pronto quando appare ben fermo ai lati e ancora morbido al centro. Una volta cotta la crema, lasciare raffreddare le cheesecake e poi ricoprirle di marmellata decorando a piacere. Trasferire in frigo per almeno 3 ore prima di mangiarle.

SHORTBREAD

Non è facile arrivare ai livelli di bontà degli originali biscottini al burro inglesi. Questa ricetta, però, si avvicina moltissimo alla perfezione.

- 250 g di farina
- 230 g di burro + qb per la tortiera
- 140 g di zucchero
- 35 g di amido di mais
- sale

Imburrare una tortiera rotonda del diametro di 28 cm. Mescolare nel mixer la farina con l'amido di mais, lo zucchero, un pizzico di sale e il burro freddo a pezzetti e azionare per 2-3 minuti. Trasferire il composto nella tortiera imburrata e livellarlo bene con il dorso di un cucchiaio. Con un coltellino affilato praticare delle incisioni per dividere l'impasto in 16 fette, senza tagliare completamente. Con i rebbi di una forchetta bucherellare la superficie a intervalli regolari e infornare a 160° per 50 minuti o finché la superficie non sarà dorata. Sfornare e lasciare intiepidire, quindi sformare il dolce e farlo raffreddare. Trasferire su un piatto da portata, tagliare le fette seguendo le incisioni praticate prima della cottura e servire.

MERINGATA AL LIMONE

Che soddisfazione preparare questa torta: l'aspetto è bellissimo e il gusto celestiale.

- 250 g di farina
  + qb per la tortiera
- 250 g di zucchero
- 250 g di burro
  + qb per la tortiera
- 4 uova
- 2 cucchiaini di lievito
  per dolci
- 2 limoni non trattati

Per lo sciroppo
- succo di 1 limone
- 4 cucchiai di zucchero

Per la crema
- 500 ml di latte
- 300 g di mascarpone
- 2 cucchiai di farina
- 4 tuorli
- 4 cucchiai di zucchero
- 1 fialetta di aroma
  alla vaniglia
- meringhe qb

Sbattere le uova con lo zucchero, unire il burro sciolto, la farina, il lievito setacciato e la scorza di limone grattugiata. Trasferire il composto in una tortiera del diametro di circa 22-24 cm imburrata e infarinata, meglio se a cerniera e cuocere a 180° in forno, per 25-30 minuti. Nel frattempo preparare lo sciroppo facendo sobbollire in un pentolino il succo di limone e lo zucchero. Una volta pronta la torta, lasciarla raffreddare e poi tagliarla in 2 bagnandola con lo sciroppo. Per la crema sbattere i tuorli con lo zucchero, aggiungere la farina e versare il latte e l'aroma di vaniglia. Mettere la casseruola sul fuoco continuando a girare, poi quando la crema inizia a bollire e addensare, togliere dal fuoco e lasciare raffreddare. Mescolare la crema ottenuta con il mascarpone. Farcire la base della torta con la crema al mascarpone, richiuderla e ricoprire con altra crema la superficie e i bordi. Completare spolverizzando le meringhe sbriciolate sull'intera superficie.

TORTA AI MARRON GLACÉ

Questa è una torta piccolina e irresistibile. Per me è una vera coccola gustarla d'inverno a merenda insieme a una buona tazza di tè.

- 230 g di farina
- 150 g di marron glacé
- 70 g di burro
- 50 g di zucchero
- 2 uova
- $^1/_2$ bicchiere circa di latte
- 2 cucchiaini di lievito
  per dolci
- sale

Per il crumble
- 50 g di burro
- 50 g di zucchero
- 50 g di farina
- sale

Per completare
- zucchero a velo qb

Mescolare il burro sciolto con lo zucchero, aggiungere le uova, quindi la farina, il lievito setacciato, un pizzico di sale e mescolare bene in modo da ottenere un impasto omogeneo. Unire il latte e i marron glacé tagliati a pezzetti poi trasferire il composto ottenuto in una tortiera rivestita con carta da forno. Preparare il crumble impastando con la punta delle dita il burro freddo con lo zucchero, la farina e un pizzico di sale. Distribuire il crumble sulla torta e cuocere in forno per 30 minuti a 180°. Lasciar raffreddare, completare con zucchero a velo e servire.

BAKEWELL TART

Questa classica crostata inglese ha un gusto davvero unico. Leggermente aspro grazie alla marmellata e dolcissimo e burroso grazie alla farcitura alle mandorle.

Per la pasta frolla
- 200 g di farina
- 100 g di burro
- 40 g di zucchero a velo
- 2 tuorli
- sale

Per farcire
- 250 g circa di marmellata di fragole
- 125 g di burro
- 125 g di zucchero
- 125 g di mandorle in polvere o mandorle pelate tritate
- 3 uova
- 1 cucchiaino di aroma alla vaniglia
- $^1/_2$ cucchiaino di aroma alle mandorle

Per completare
- mandorle a lamelle qb

In una terrina mescolare la farina con un pizzico di sale e lo zucchero a velo. Unire il burro freddo a pezzetti, lavorare con la punta delle dita, aggiungere i tuorli e continuare a impastare. Si può realizzare questa frolla anche mettendo tutti gli ingredienti nel frullatore: se la pasta fosse troppo asciutta, unire un filo d'acqua, se invece fosse umida, unire poca farina. Stendere la pasta direttamente sulla carta da forno a uno spessore di 3 mm, adagiarla in uno stampo con la sua carta sotto e bucherellare il fondo con i rebbi di una forchetta. Eliminare la pasta in eccesso, coprire quella nello stampo con un foglio di carta da forno, mettervi sopra dei fagioli secchi e cuocere per 15 minuti a 180°. Trascorso questo tempo, togliere i fagioli secchi e la carta da forno e proseguire la cottura per alcuni minuti fino a che la frolla non diventa leggermente dorata. Intanto preparare la farcitura: sbattere il burro, leggermente ammorbidito a temperatura ambiente, e lo zucchero con le fruste elettriche o con un cucchiaio, quindi unire le uova, le mandorle tritate, l'aroma di mandorle e quello di vaniglia. Spalmare la marmellata sulla base di pasta frolla, poi versarvi sopra la farcitura, livellare la superficie e decorare con le mandorle a lamelle. Cuocere per 25-30 minuti, fare raffreddare e servire.

GELATO FRITTO

Ci voleva Lorenzo Boni per spiegarmi il piccolo miracolo del gelato fritto tipico dei ristoranti cinesi. Un'idea divertente e molto buona per stupire gli amici.

- 1 vaschetta di gelato alla crema (circa 500 g)
- 1 confezione di pane per tramezzini senza crosta

Per la pastella
- acqua frizzante qb
- 200 g di farina
- 1 fialetta di aroma alla vaniglia

Per friggere
- olio di semi

Modellare delle palle di gelato un po' più piccole di quelle da tennis con le mani, poi metterle a indurire nel freezer.
Nel frattempo schiacciare il pane con il mattarello per renderlo molto sottile. Togliere il gelato dal freezer, avvolgere il pane intorno a ciascuna pallina di gelato, quindi chiuderle nella pellicola per alimenti e rimetterle nel freezer per farle compattare bene. Trascorso il tempo necessario, preparare una pastella densa mescolando in una ciotola la farina, l'acqua e la vaniglia.
Tirare fuori dal freezer il gelato, togliere la pellicola, ripassarlo nella pastella e friggerlo in abbondante olio bollente. Servire subito.

TORTA ALL'ARANCIA

Una bella torta all'arancia non può mai mancare in un ricettario come si deve. L'abbinamento principe è proprio quello di arancia e mandorle completato da una glassa al formaggio.

Per lo sciroppo
- 120 ml di succo d'arancia
- 60 g di zucchero di canna
- 1 cucchiaio di marmellata d'arance

Per la torta
- 225 g di burro
- 200 g di zucchero
- 200 g di farina
- 50 g di mandorle tritate
- 4 uova
- scorza di 1 arancia non trattata
- 1 cucchiaio di marmellata
- 1 bustina di lievito per dolci

Per guarnire
- 125 g di formaggio spalmabile
- 60 g di zucchero a velo
- scorza d'arancia non trattata qb

Preparare lo sciroppo riscaldando il succo d'arancia mescolato allo zucchero di canna e alla marmellata d'arance. Per l'impasto, mescolare il burro sciolto con lo zucchero, unire la scorza grattugiata d'arancia e la marmellata, infine aggiungere le uova. In un'altra ciotola miscelare la farina con il lievito setacciato e le mandorle tritate, quindi trasferire il tutto nel composto di uova e zucchero. Versare l'impasto ottenuto in una tortiera e cuocere a 180° per 40 minuti. Nel frattempo preparare la glassa amalgamando il formaggio spalmabile con lo zucchero a velo. Una volta cotta la torta, bucherellarla, bagnarla con lo sciroppo e ricoprirne la superficie con la crema al formaggio. In ultimo decorare con le scorzette d'arancia.

DELIZIA INTEGRALE

Una torta davvero calorica ma anche molto sana, ricca di miele e frutta secca, ideale da gustare nelle fredde giornate invernali

Per la frolla
- 225 g di farina 00
- 225 g di farina integrale
- 150 g di zucchero
- 150 g d'olio di semi
- 1 bustina di lievito per dolci
- 1 bustina di vanillina
- scorza di limone non trattato qb
- 3 uova
- sale

Per farcire
- 300 g di gherigli di noci
- 250 g di miele
- 150 g di albicocche secche

Per completare
- 100 g di miele

Mescolare le farine con il lievito setacciato, lo zucchero, la vanillina e la scorza di limone grattugiata. Unire l'olio, le uova e un pizzico di sale. Dividere in 2 l'impasto e stendere entrambe le metà tra 2 fogli di carta da forno. Sistemare una metà in una tortiera con sotto la carta da forno e farcire con le noci intere mescolate con il miele e le albicocche a pezzi. Chiudere con il secondo disco di frolla, sigillare i bordi e cuocere la torta per 40 minuti a 180°. Sciogliere l'altro miele sul fuoco e guarnire la torta una volta intiepidita.

TORTA BAROZZI

La torta Barozzi è una specialità emiliana del paese di Vignola, unica e irripetibile. È soprannominata la torta nera, perché è ricca di cioccolato: è dolce, burrosa, ha mille sapori tra cui un inconfondibile aroma di caffè. Ma nessuno conosce la ricetta originale. Questa dunque è una libera interpretazione fatta con il fondo del caffè!

- 250 g di cioccolato fondente
- 80 g di burro
- 100 g di mandorle pelate
- 1 fondo di caffè
- 4 uova
- 150 g di zucchero
- 1 bicchierino di rum
- sale

Spezzettare il cioccolato e lasciarlo sciogliere in un pentolino con il burro. Una volta fuso, a fuoco spento, aggiungere il fondo di caffè di una moka da 2-3 tazzine. Separare le uova e sbattere i tuorli con lo zucchero, poi unire il rum e le mandorle tritate, infine aggiungere il cioccolato fuso amalgamandolo bene. Montare a neve gli albumi e incorporarli al composto di cioccolato. Versare il tutto in una teglia rivestita di carta da forno e cuocere in forno a 180° per 30 minuti circa.

GELO D'ANGURIA

La prima volta che ho assaggiato il gelo d'anguria ero in viaggio di nozze. Immaginate che dolce ricordo ho di quel momento... e siccome mi è capitato di assaggiarlo pochissime altre volte, ho cominciato a prepararlo io! È un dessert o una merenda originale, leggera e buonissima. In Sicilia però si chiama gelo di "mellone"!

Per 8-10 coppette
- 750 ml di succo d'anguria
- 100 g di gocce di cioccolato
- 70 g di amido di mais
- 40 g di zucchero
- 1 fialetta di aroma alla vaniglia
- cannella qb
- granella di pistacchi qb

Ricavare la quantità di succo necessaria dalla polpa dell'anguria (potete usare il minipimer, dopo aver eliminato i semi). Mettere l'amido di mais in una ciotola e versare poco per volta il succo in modo che non faccia grumi, sempre mescolando. Trasferire il composto in un tegame a bordi alti e unire a freddo anche lo zucchero e l'aroma di vaniglia, quindi cuocere a fiamma moderata e portare a bollore. Tenere sul fuoco per un paio di minuti poi lasciare raffreddare il composto, avendo cura di mescolare di tanto in tanto. Quando si sarà intiepidito, aggiungere le gocce di cioccolato, girare bene e versare nelle coppette poi riporre in frigo per almeno 4 ore. Servire spolverando con la cannella e la granella di pistacchi.

CHEESECAKE AI PAVESINI

Le ricette di cheesecake non sono mai troppe! È un dolce che amo moltissimo, in tutte le sue versioni. In questo caso al posto del classico formaggio spalmabile entrano in scena ricotta e mascarpone.

- 6 pacchettini di Pavesini
- 50 g di burro
- 250 g di mascarpone
- 250 g di ricotta
- 1 bustina di vanillina
- 100 g di zucchero
- 2 uova

Per guarnire
- marmellata di fragole qb
- fragole qb

Tritare i biscotti e mescolarli al burro fuso, quindi trasferire il composto ottenuto nello stampo per creare il guscio della cheesecake, modellando e premendo bene con il dorso della mano per rivestire il fondo e i bordi di una tortiera. Preparare la crema amalgamando il mascarpone alla ricotta, poi unire la vanillina, lo zucchero e le uova, mescolare bene (se preferite potete farlo anche dentro al mixer). Trasferire la crema sulla base di biscotti e cuocere in forno a 170° per un'ora. Una volta pronta, far raffreddare la cheesecake e in ultimo guarnirla con la marmellata e le fragole a pezzi.

PASTE DI MELIGA

La mia infanzia è piena di paste di meliga, ovvero biscottoni fatti con la farina di mais, quella gialla. Quando vado in campagna, li compro sempre per la colazione e la merenda. Sono deliziosi e scrocchiarelli.

- 250 g di farina 00 + qb per stendere
- 250 g di burro
- 125 g di farina fioretto
- 125 g di zucchero
- 1 bustina di vanillina
- 1 uovo
- 1 tuorlo
- sale

Mescolare le farine, unire la vanillina, lo zucchero, un pizzico di sale e il burro freddo a pezzetti e frullare il tutto nel mixer oppure lavorare con la punta delle dita. Aggiungere l'uovo e il tuorlo e frullare ancora oppure continuare a impastare. Stendere l'impasto, che sarà molto morbido, tra 2 fogli di carta da forno aiutandosi con un po' di farina, quindi fare raffreddare una mezz'oretta in frigorifero. Trascorso questo tempo, ritagliare i biscotti con un coppapasta e cuocerli per 15-20 minuti a 180°.

CORONA AI FRUTTI DI BOSCO

Questa cheesecake a corona si presenta in maniera strepitosa. Basta una corona di biscotti per trasformare un qualsiasi dolce in un prodotto di alta pasticceria, per non parlare del gusto... semplicemente irresistibile.

- 900 g di formaggio spalmabile
- 150 g di zucchero
- 70 ml di panna fresca
- 40 g di amido di mais
- 3 uova
- 1 tuorlo

Per la base
- 6 pacchettini di Pavesini
- 70 g di burro
- 2 cucchiai di zucchero

Per completare
- 2 pacchettini di Pavesini
- 250 g di frutti di bosco surgelati
- 50 g di zucchero
- 1 bustina di vanillina

Mescolare il formaggio spalmabile con lo zucchero, poi unire le uova, il tuorlo e l'amido di mais. Aggiungere la panna, montata separatamente, incorporandola delicatamente nella crema. Preparare la base del cheesecake frullando i Pavesini con il burro sciolto e lo zucchero e disporre il composto di biscotti sul fondo della tortiera ricoperta di carta da forno schiacciando bene con le mani in modo da compattarlo. Con gli altri Pavesini formare una corona, disponendoli lungo il bordo della tortiera. Versare la crema nello stampo e cuocere per 40-50 minuti a 140°, quindi fare raffreddare e conservare in frigo. Per il topping, spadellare i frutti di bosco con lo zucchero e la vanillina. Una volta freddo, decorare il cheesecake con la salsa ai frutti di bosco.

TORTA ALLA PANNA

Questa semplice torta mi ricorda quelle merendine che si trovano nel banco frigo. Per questo piace tanto ai bambini, soprattutto d'estate quando una torta troppo secca può far venire una gran sete. Se volete rendere le fette ancora più belle provate a porzionare la torta con il coppapasta ricavando delle tortine a forma di cuore o di animaletto.

- 125 g di farina
- 125 g di zucchero
- 125 ml di panna fresca
- 40 g di cacao amaro in polvere
- 3 uova
- $^1/_2$ bustina di lievito per dolci

Per farcire
- 250 g di mascarpone
- 125 ml di panna fresca
- 3 cucchiai di zucchero

Per guarnire
- zucchero a velo qb

Sbattere le uova con lo zucchero e la panna, poi aggiungere la farina, il lievito e infine il cacao, entrambi setacciati. Mescolare bene e trasferire il composto su una placca rivestita di carta da forno e cuocere 20-25 minuti a 180°. Nel frattempo preparare la farcia montando la panna. A parte mescolare il mascarpone con lo zucchero poi incorporarvi la panna montata. Tagliare il pan di Spagna in 2 parti, farcire una metà con la crema e richiudere con la seconda fetta di pan di Spagna come se fosse un tramezzino. Completare con lo zucchero a velo e servire.

TORTA DI MATILDE

Come per Eleonora, anche Matilde ha avuto una torta di compleanno speciale. Questo tipo di torte sono un po' laboriose perché devono essere tagliate a metà e farcite, ma in occasione di un compleanno fanno un figurone. Questa, poi, presenta un impasto morbido e umido davvero goloso. Io l'ho sperimentato sia con il cioccolato al latte sia con quello bianco e non so scegliere quale sia il più buono.

- 280 g di farina
- 250 g di zucchero
- 200 g di cioccolato bianco
- 200 ml di latte
- 180 g di burro + qb per lo stampo
- 3 uova
- 1 cucchiaio di lievito per dolci
- 1 cucchiaino di aroma alla vaniglia o 1 bustina di vanillina

Per farcire
- 1 vasetto di marmellata di more

Per la ganache
- 200 g di cioccolato al latte tritato
- 80 ml di panna fresca

Per completare
- confettini e fiorellini di zucchero qb

Imburrare i lati di uno stampo rotondo del diametro di circa 22-24 cm e foderare il fondo con la carta da forno. Far sciogliere il cioccolato bianco con il burro, il latte e un goccio d'acqua, quindi lasciare raffreddare. Sbattere lo zucchero con le uova, aggiungere l'aroma alla vaniglia e il cioccolato fuso, amalgamare bene e in ultimo incorporare la farina mescolata con il lievito setacciato. Versare l'impasto nello stampo e cuocere in forno per 35-40 minuti a 180°. Una volta pronta, lasciare raffreddare e poi tagliare la torta a metà. Per la ganache, mettere il cioccolato in un pentolino con la panna e scaldare a fuoco basso mescolando fino a ottenere una crema. Diluire la marmellata in mezzo bicchiere d'acqua tiepida, sistemare una metà della torta su un'alzatina, spalmarla di marmellata allungata con l'acqua calda, in modo da bagnare l'impasto, poi sovrapporvi l'altra metà di torta. Spalmare la superficie e i bordi con la ganache ricoprendo tutta la torta e completare con i confettini e i fiorellini di zucchero.

MISSISSIPPI MUD PIE

Dolce tipico americano, letteralmente la torta del fango del Mississippi. In effetti, a guardarla bene la crema di cioccolato di questa torta sembra davvero fango... Il gusto però è tutt'altra cosa. Seguendo le indicazioni di Laurel Evans l'ho cucinato per un pigiama party delle mie bambine e ho riscosso un successo strepitoso. Un consiglio: prima di mangiare questo dolce non guardate il film The Help!

Per la base
- 400 g di frollini al cacao
- 150 g di burro + qb
  per lo stampo
- 1 cucchiaio di zucchero
- sale

Per la crema
- 700 ml di latte
- 170 g di cioccolato
  fondente
- 120 g di zucchero
- 40 g di amido di mais
- 30 g di cacao amaro
  in polvere
- 30 g di burro
- 4 tuorli
- sale

Per completare
- 160 ml di panna fresca
- 20 g di zucchero

Preriscaldare il forno a 180° e imburrare uno stampo a cerniera rotondo del diametro di 23 cm. Frullare i biscotti con lo zucchero, il burro fuso e una presa di sale, versare il composto nello stampo e pressarlo e livellarlo sul fondo e sul bordo aiutandosi con il dorso del cucchiaio. Porre in freezer per 10 minuti, poi cuocere in forno per 8-10 minuti, sfornare e fare raffreddare su una gratella. Nel frattempo preparare la farcia: mescolare lo zucchero, l'amido di mais e il cacao setacciato, un pizzico di sale e i tuorli, quindi versare il latte a filo, continuando a girare con la frusta. Mettere sul fuoco, portare a ebollizione, mescolando sempre con la frusta, fino a quando la crema non si addenserà. Togliere dal fuoco e unire il cioccolato fuso e il burro. Coprire con la pellicola e lasciare raffreddare per 2 ore. Versare la crema al cioccolato nella base e lasciare raffreddare in frigo per almeno 5 ore, meglio un'intera notte. Al momento di portare in tavola, a piacere, montare la panna con lo zucchero e stenderla sopra la torta fredda.

TOZZETTI

I cantucci sono fatti con le mandorle, mentre i tozzetti invece hanno le nocciole e per questo sono in assoluto i miei preferiti. Ogni volta che li preparo Fabio impazzisce!

- 250 g di farina + qb
  per stendere
- 130 g di nocciole
- 125 g di zucchero
- 50 g di burro
- 2 uova
- scorza di $^1/_2$ arancia
  non trattata
- $^1/_2$ bustina di lievito
  per dolci
- sale

In una ciotola sbattere le uova con lo zucchero, aggiungere il burro fuso, la scorza dell'arancia grattugiata e le nocciole tritate grossolanamente. Unire la farina con il lievito setacciato e un pizzico di sale. Aiutandosi con un po' di farina formare 4 strisce di pasta larghe circa 4 dita e cuocerle in forno per 20 minuti a 180°. Una volta cotte e ancora calde tagliare a fettine le strisce di pasta in modo da ricavare i tozzetti. Rimetterli sulla placca del forno e cuocerli ancora 10-15 minuti, finché i tozzetti non saranno dorati.

CUPCAKE CON CREMA CHANTILLY

Se volete divertirvi potete decorare questi semplici cupcake come dei veri cake designer. Basta comprare una sacca da pasticciere o una siringa che si trova in tutti i supermercati e un po' di colorante in gel. Se invece preferite le cose caserecce, potete benissimo lasciare la crema del suo colore naturale e guarnire le tortine con un semplice cucchiaio. In entrambi i casi l'unico trucco che vi conviene seguire è utilizzare la panna vegetale e non quella fresca: in questo modo la vostra crema non si scioglierà e non si smonterà mai. Parola di Dalila, bravissima cake designer che è stata la mia maestra!

Per 15 cupcake
- 80 g di burro
- 175 g di zucchero
- 1 uovo
- 1 cucchiaino di aroma alla vaniglia
- 190 g di farina 00
- 1 ¹/₂ cucchiaino di lievito per dolci
- 1 pizzico di sale
- 150 ml di latte

Per la crema chantilly
- 1 l di latte
- 500 ml di panna vegetale
- 250 g di zucchero
- 90 g di amido di mais (o farina 00)
- 6 tuorli
- 1 ¹/₂ cucchiaino di aroma alla vaniglia
- colorante in gel

Mescolare il burro morbido e lo zucchero fino a ottenere una crema, poi amalgamarvi l'uovo. Unire l'aroma di vaniglia e il resto degli ingredienti. Riempire per tre quarti i pirottini di carta sistemati in quelli di alluminio e cuocere in forno preriscaldato a 180° per circa 20 minuti. Per la crema, sbattere i tuorli con lo zucchero in modo da ottenere un composto chiaro. Aggiungere l'amido di mais, poi unire il latte, precedentemente scaldato con l'aroma di vaniglia. Lasciare cuocere a fuoco dolce finché la crema non si è addensata, poi spegnere e far raffreddare. Una volta raffreddata la crema, montare a parte la panna e unirla aggiungendo se si vuole il colorante in gel. In ultimo decorare i cupcake con la crema.

Evviva Matilde che non cucina mai ma, in compenso, è un'ottima assaggiatrice!

COPPA AL FRUTTO DELLA PASSIONE

Questo dolce che ha cucinato per me Miguel Casas è molto divertente. Ha infatti l'aspetto di una birra alla spina piena di schiuma, ma il gusto è inconfondibile: pesca e frutto della passione, il mio preferito.

Per 4 persone
- 250 ml d'acqua
- 170 g di yogurt greco
- 150 g di zucchero
- 100 g di frutti della passione
- 3 fogli di gelatina
- 4 mezze pesche sciroppate
- 1 albume

Per completare
- menta qb

Svuotare i frutti della passione in un pentolino aiutandosi con un cucchiaino, unire anche l'acqua e 100 g di zucchero, quindi portare a bollore. Spegnere, aggiungere i fogli di gelatina precedentemente ammollati nell'acqua e strizzati e mescolare. Tagliare a dadini piccoli le pesche sciroppate mettendo mezza pesca in ogni bicchierino, filtrare la salsa al frutto della passione e versarla sopra le pesche. Trasferirle in frigorifero a raffreddare per qualche ora. Nel frattempo montare a neve l'albume con lo zucchero restante e incorporare lo yogurt greco, mescolando delicatamente dal basso verso l'alto. Completare le coppette con il composto di albumi e yogurt, decorando con una fogliolina di menta.

MARSHMALLOW AI LAMPONI

Non avrei mai pensato che si potessero preparare i marshmallow in casa, invece lo chef Miguel Casas mi ha proposto questa ricetta strepitosa per creare dei dolcetti morbidissimi fatti solo con cose buone. Ammetto che non è facilissima, ma è sicuramente una dolcissima sfida. Bravo Micky!

- 455 g di zucchero
- 200 ml d'acqua
- 125 g di lamponi
- 50 g di zucchero a velo
- 50 g di fecola di patate
- 9 fogli di gelatina
- 2 albumi
- 1 cucchiaio di sciroppo di glucosio
- $1/2$ fialetta di aroma alla vaniglia
- olio extravergine

Per la salsa
- 200 g di cioccolato bianco
- 100 g di zucchero
- 50 ml d'acqua
- scorza di agrumi non trattati qb

Preparare uno sciroppo con lo zucchero, l'acqua e il glucosio e farlo bollire. Mettere a mollo in acqua fredda i fogli di gelatina. Spegnere il fuoco sotto lo sciroppo e aggiungere i fogli di gelatina strizzati. Montare gli albumi in una ciotola e, sempre montando, incorporare a filo lo sciroppo, unire infine l'aroma alla vaniglia. Ungere una teglia d'olio e spolverizzare il fondo con zucchero a velo e fecola miscelati. Trasferire metà del composto nella teglia, distribuire sopra tutti i lamponi e completare con il resto del composto. Fare riposare in frigorifero per circa 6 ore. Per la salsa di accompagnamento, sciogliere in un pentolino lo zucchero con l'acqua e il cioccolato bianco, poi unire le scorze grattugiate degli agrumi. Servire i marshmallows tagliati a cubotti, con la salsa.

FORESTA NERA

Questa versione della classica Foresta nera è leggermente rivisitata per rendere tutto il procedimento un po' più semplice. Mi piace prepararla d'estate in campagna dove posso usare, al posto delle ciliegie, le amarene del mio albero. Ma a volte, quando non è stagione, la faccio anche con le fragole.

- 200 g di burro
  + qb per la tortiera
- 150 g di zucchero
- 125 g di farina
  + qb per la tortiera
- 100 g di cioccolato
  fondente
- 5 uova
- 1 bustina di lievito
  per dolci
- 3 cucchiai di cacao
  amaro in polvere
- $^1/_2$ tazzina di caffè

Per guarnire
- 550 ml di panna montata
- 500 g di ciliegie
  sciroppate o
  ciliegie fresche
  denocciolate, a seconda
  della stagione
- 4-5 cucchiai
  di marmellata di ciliegie
- 1-2 cucchiai di zucchero
  a velo

Sciogliere il cioccolato con un po' d'acqua in un pentolino a fuoco dolce. Mescolare il cacao con il lievito (entrambi setacciati) e la farina. Separare gli albumi dai tuorli e sbattere i rossi d'uovo con lo zucchero, quindi unire il burro sciolto. Montare a neve gli albumi. Amalgamare al composto di tuorli il cioccolato fuso e il caffè, poi incorporare anche la farina mescolata al cacao. In ultimo unire delicatamente gli albumi montati, mescolando dal basso verso l'alto. Trasferire il composto in una tortiera imburrata e infarinata e cuocere in forno a 150° per 50 minuti. Una volta pronta e raffreddata, sformare la torta, tagliarla in 2 e bagnarla con un po' di sciroppo di ciliegie, oppure con un po' di succo di frutta del gusto preferito. Poi farcirla con la marmellata, la panna montata spolverizzata con un po' di zucchero a velo e infine con un po' di ciliegie. Richiudere la torta e ricoprirla con altra panna e ciliegie.

Quando non è stagione di ciliegie, provate a usare le fragole. Sarà deliziosa lo stesso!

RINGRAZIAMENTI

Questo libro è il frutto del lavoro di una bellissima squadra, quella dei Menù di Benedetta, che ha lavorato insieme a me con passione, serietà e grande competenza su La7. Non posso ringraziare tutti, perché sarebbero davvero troppi, ma devo assolutamente citare Paolo Quilici, autore e grandissimo appassionato di cucina, che ha trovato la maggior parte delle ricette contenute in questo libro, Lorenzo Boni e Miguel Casas, chef e aiuto chef di produzione, che mi hanno regalato preziosissimi consigli e hanno cucinato piatti meravigliosi, Daniele Baroni che ha coordinato il lavoro della cucina con rigore e simpatia, Gloria La Torre con le sue belle tavole, Barbara Boncompagni, con cui è nato tutto il progetto, Cristiano Rinaldi, Valentina de Renzis, Flaminia Blasi e tutta la produzione. Grazie a Francesca di Maio e ai suoi appunti che sono stati la base di questo libro, sviluppato poi insieme a tutta la super squadra di Rizzoli capitanata da Rossella Biancardi. Un ringraziamento di cuore a Dalila Duello, una vera fatina dei dolci, a Stefano de Lorenzi con le sue ricette impeccabili ed essenziali, a Davide Valsecchi eccezionale conoscitore del mondo ittico e al mio nipotino adottivo Cisco a cui auguro un mondo di ciccionate.
Cari amici, grazie! Sono stati due anni bellissimi!

Benedetta

INDICI

INDICE DEGLI INGREDIENTI E DELLE PREPARAZIONI

INDICE DELLE PORTATE

ANTIPASTI

PRIMI

SECONDI

Finito di stampare nel mese di agosto 2013
presso Grafica Veneta, Trebaseleghe (Padova)